Utilimaths 12

Mathématiques de la vie courante

Enzo Carli

Sandra Emms Jones

Alexis Galvao

Peter Joong

Arnie Niederhoffer

Loraine Wilson

Consultant à l'édition française

Jacques Moncion

Traduit de l'anglais par
Jean Blaquière,
Nadia Leroux
et Lucie Plamondon

Les Éditions de la Chenelière

MONTRÉAL

Utilimaths 12
Mathématiques de la vie courante

Traduction de : *Mathematics for Everyday Life 12*, de Enzo Carli
et coll. © 2003, Irwin Publishing (ISBN 0-7725-2928-0).

© 2003 Les Éditions de la Chenelière inc.

Coordination : Sabine Cerboni
Révision linguistique : Nicole Blanchette
Correction d'épreuves : Pierre-Yves L'Heureux et Paul Bergeron
Infographie : Claude Bergeron

Conception graphique : Dave Murphy/ArtPlus Ltd.
Maquette de la couverture : Dave Murphy/ArtPlus Ltd.
Photographies : Trent Photographics
Dessins techniques : ArtPlus Ltd.

Les Éditions de la Chenelière
7001, boul. Saint-Laurent
Montréal (Québec)
Canada H2S 3E3
Téléphone : (514) 273-1066
Télécopieur : (514) 276-0324
chene@dlcmcgrawhill.ca

ISBN 2-89310-943-8

Dépôt légal : 2e trimestre 2003
Bibliothèque nationale du Québec
Bibliothèque nationale du Canada

Imprimé au Canada

1   2   3   4   5   IIM   07   06   05   04   03

Nous reconnaissons l'aide financière du gouvernement du
Canada par l'entremise du Programme d'aide au développement
de l'industrie de l'édition (PADIÉ) pour nos activités d'édition.

Gouvernement du Québec – Programme de crédit d'impôt pour
l'édition de livres – Gestion SODEC

L'Éditeur a fait tout ce qui était en son pouvoir pour retrouver les
copyrights. On peut lui signaler tout renseignement menant à la
correction d'erreurs ou d'omissions.

DANGER

LE
PHOTOCOPILLAGE
TUE LE LIVRE

Remerciements

Les auteurs et l'éditeur d'*Utilimaths 12 : Mathématiques de la vie courante* aimeraient remercier les réviseurs suivants, pour leur précieuse contribution et leur assistance, qui ont permis de rencontrer les exigences des enseignantes et des enseignants ainsi que celles des élèves de l'Ontario.

Tom Chapman

Chris Dearling

Linda Palmason

Peter Saarimaki

Shirley Scott

Susan K. Smith

Table des matières •••

À propos de ton manuel

Dans les pages du nouveau manuel, tu verras que la plupart des sections commencent par la rubrique « **Fais une recherche** ». Le plus souvent, tu feras cet exercice en petit groupe ou avec une ou un partenaire. Cette rubrique te permet de faire le lien entre tes connaissances en mathématiques et ton expérience et les notions expliquées dans la section. Il peut s'agir d'une courte réflexion, d'une discussion, de l'application d'une méthode de résolution de problèmes ou encore d'une recherche.

Lors d'une **recherche** ou d'une **résolution de problèmes**, tu dois
- formuler des questions ;
- choisir une stratégie, des sources, une technologie et des outils ;
- représenter sous forme mathématique ;
- interpréter les données et formuler des conclusions ;
- réfléchir sur la vraisemblance des résultats.

La plupart des sections comportent une rubrique « **Analyse** ».

Dans cette rubrique, tu travailleras parfois en petit groupe, parfois avec une ou un partenaire. Cette partie aborde les concepts de la section :
- par des questions dirigées

ou
- par des exemples et leurs solutions détaillées ou les deux.

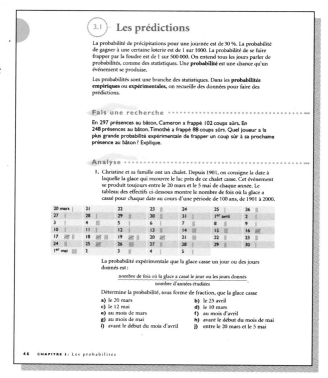

Utilise les probabilités établies à l'exercice 1 pour faire les exercices 2 et 3. Explique tes réponses.

2. a) Selon toi, est-il possible que la glace ait cassé le 1er juin 2001 ?
   b) Selon toi, est-il possible que la glace ait cassé le 15 mars 2002 ?
   c) Selon l'exercice 1, parties a), b) et c), à quelle date la glace est-elle le plus susceptible de casser en 2003 ?
   d) Comment la famille de Christine pourrait-elle utiliser cette information ?

3. a) Que remarques-tu au sujet des réponses de l'exercice 1, parties e) et i) ?
   b) Que remarques-tu au sujet des réponses de l'exercice 1, parties c) et d) ?
      Nomme un événement de la vie courante qui a la même probabilité.
   c) Que remarques-tu au sujet de la réponse de l'exercice 1, partie j) ?
      Nomme un événement de la vie courante qui a la même probabilité.
   d) Durant quel mois la glace est-elle le plus susceptible de casser ?

Passe à l'action ···

4. Vérifie tes compétences Utilise tes connaissances sur les nombres décimaux pour classer les moyennes au bâton suivantes. Ordonne-les de la plus grande probabilité de frapper un coup sûr lors de la prochaine présence au bâton à la plus petite probabilité de frapper un coup sûr lors de la prochaine présence au bâton.

0,284   0,373   0,432   0,401   0,337   0,291   0,410

5. Dans le cadre d'une étude sur l'activité physique, on a demandé à 300 personnes âgées de 15 à 74 ans si elles faisaient de l'exercice au moins trois fois par semaine. Le tableau suivant indique les réponses positives (oui) par groupe d'âge.

Âge	Effectifs	Âge	Effectifs
15–24	ℍℍ ℍℍ ℍℍ III	45–54	ℍℍ ℍℍ ℍℍ ℍℍ ℍℍ ℍℍ II
25–34	ℍℍ ℍℍ ℍℍ ℍℍ ℍℍ ℍℍ ℍℍ ℍℍ ℍℍ ℍℍ ℍℍ II	55–64	ℍℍ ℍℍ ℍℍ ℍℍ I
35–44	ℍℍ ℍℍ ℍℍ ℍℍ ℍℍ ℍℍ ℍℍ IIII	65–74	ℍℍ ℍℍ ℍℍ III

On pose la même question à une personne de plus. Détermine la probabilité expérimentale, sous forme de fraction, qu'elle réponde « oui » si elle a

a) de 15 à 24 ans   **b)** de 35 à 44 ans
c) plus de 24 ans   **d)** moins de 45 ans

6. En quoi l'information de l'exercice 5 serait-elle utile

a) à un organisme gouvernemental qui fait de la publicité sur l'importance de la santé physique ?
b) à un centre d'exercice qui fait la promotion de ses installations ?

Dans la plupart des sections, on trouve la rubrique « **Passe à l'action** ». En principe, tu réponds individuellement aux questions. Elles mettent en valeur tes compétences et les concepts que tu as acquis.

Les rubriques proposées dans chaque chapitre

Présentation

Cette introduction te donne un aperçu de ce que tu feras dans le chapitre.

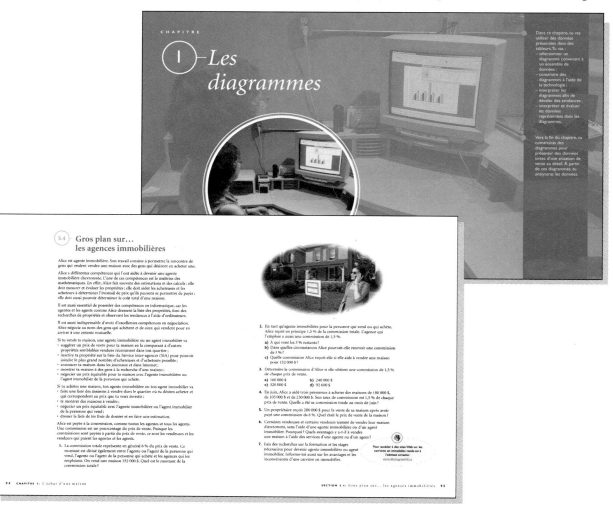

Gros plan sur…

Cette section comporte un texte à lire et des questions. Elle te présente un emploi que tu pourrais occuper après tes études secondaires. En répondant aux questions, tu exerces certaines compétences essentielles :

- lecture de texte
- consultation de documents
- rédaction
- numération
- travail en équipe
- apprentissage continu
- compétences en informatique
- réflexion

Avec ces compétences, tu pourras t'intégrer pleinement dans ton travail et dans ta communauté.

Tour d'horizon

Cette rubrique te permet de démontrer tes compétences en lien avec les divers concepts étudiés dans le chapitre. Parfois, tu dois répondre à des questions précises. D'autres fois, tu dois résoudre un problème par une recherche ou une méthode de résolution de problèmes.

Résumé

Ici, tu trouves des questions semblables à celles des rubriques « **Passe à l'action** » des sections précédentes. Y répondre te préparera à un test portant sur ce que tu as appris dans le chapitre.

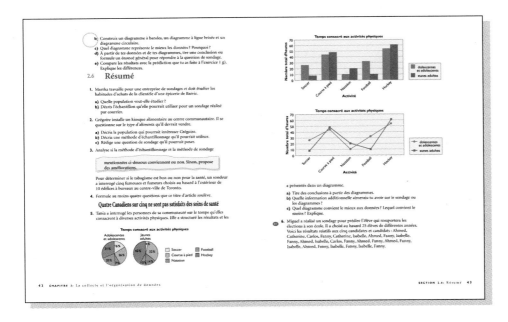

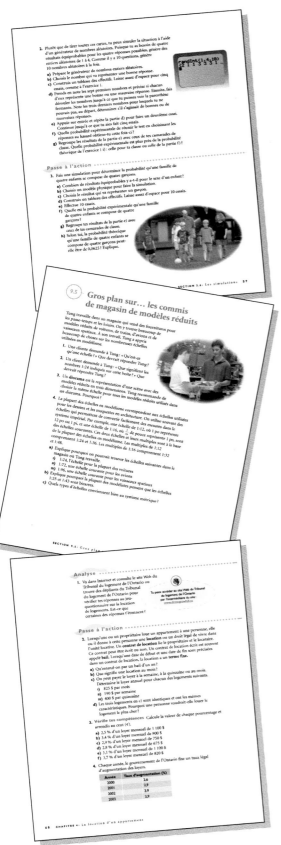

La technologie dans *Utilimaths 12*

La technologie joue un rôle important dans ton apprentissage.

Tu utiliseras :

- des calculatrices pour effectuer des opérations avec des nombres décimaux ;
- des tableurs pour construire des diagrammes qui présentent des données et des changements dans des budgets ;
- des calculatrices à capacité graphique pour générer des nombres aléatoires ;
- un logiciel de géométrie dynamique pour faire des dessins à l'échelle en deux dimensions, des dessins en trois dimensions et pour explorer des transformations.

Ces outils te permettront de te concentrer sur les notions que tu apprends.

De plus, tu consulteras Internet ainsi que des documents imprimés comme des journaux, des dépliants publicitaires, des prospectus et des brochures sur différents sujets.

Surveille ces pictogrammes

ST Ce pictogramme indique qu'un **Substitut aux technologies** est disponible. Ton enseignante ou ton enseignant peut te le fournir si ta classe ne dispose pas de tableurs.

 Ce pictogramme signifie que tu peux accéder à des **sites Web** pertinents par l'intermédiaire du site Web des Éditions de la Chenelière.

FA Ce pictogramme indique qu'une **Feuille d'activité** est disponible. Ton enseignante ou ton enseignant peut la distribuer pour t'aider à planifier ton travail sur une question ou un groupe de questions particulières.

GÉ Ce pictogramme indique qu'une **Grille d'évaluation** correspondant à une rubrique est disponible. Ton enseignante ou ton enseignant peut te la fournir pour t'aider à comprendre la manière dont ton travail sera évalué.

D'autres outils

Glossaire

Il s'agit d'une liste des termes nouveaux du manuel, classés par ordre alphabétique. Ces mots sont expliqués la première fois qu'ils paraissent dans le texte. Cependant, si tu as besoin de confirmer la signification d'un mot, tu peux consulter le glossaire.

Réponses

Le manuel contient les réponses à toutes les questions, sauf celles qui demandent des réponses personnelles. Tu peux comparer tes réponses à celles proposées dans le manuel. Si tu obtiens une réponse différente, travaille à rebours pour essayer de comprendre la solution.

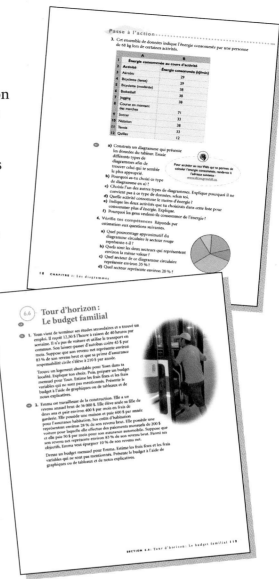

1 — *Les diagrammes*

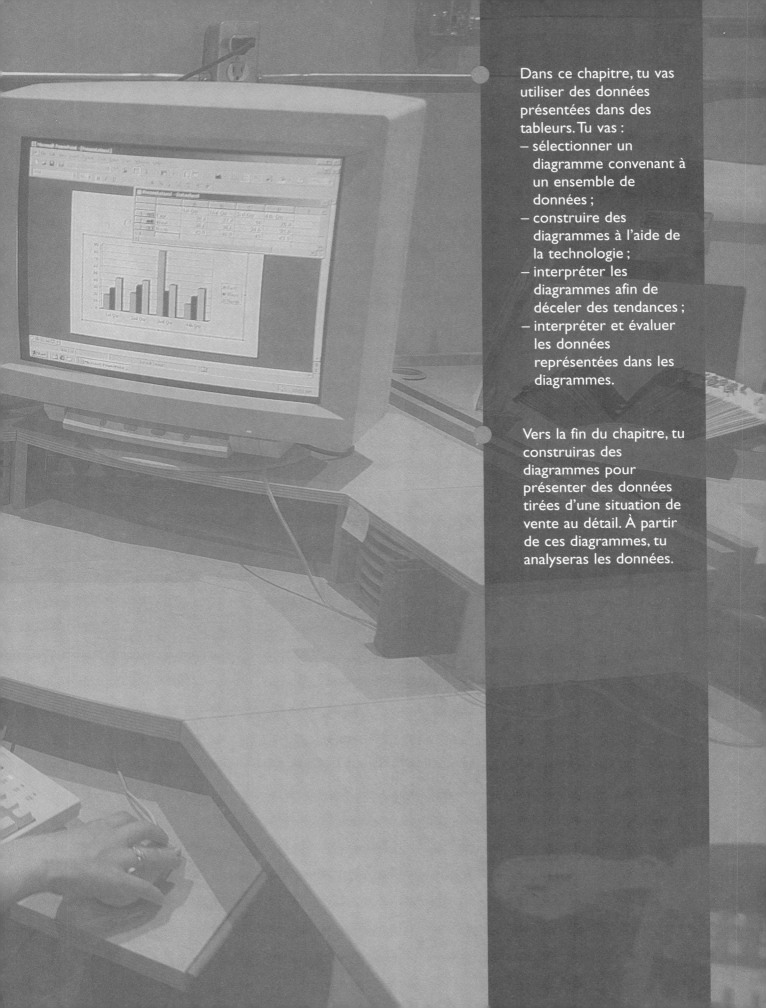

Dans ce chapitre, tu vas utiliser des données présentées dans des tableurs. Tu vas :
— sélectionner un diagramme convenant à un ensemble de données ;
— construire des diagrammes à l'aide de la technologie ;
— interpréter les diagrammes afin de déceler des tendances ;
— interpréter et évaluer les données représentées dans les diagrammes.

Vers la fin du chapitre, tu construiras des diagrammes pour présenter des données tirées d'une situation de vente au détail. À partir de ces diagrammes, tu analyseras les données.

1.1 — L'interprétation des diagrammes

Pour décrire une scène mémorable, les mots sont utiles, mais une photo est plus efficace.

De même, tu peux utiliser des tableaux dans lesquels tu disposes les données ou les renseignements pertinents, mais un diagramme permet de voir des tendances et les rend souvent faciles à percevoir.

Fais une recherche

Le tableau ci-dessous contient des données sur l'espérance de vie moyenne des hommes à différentes époques pendant les 200 dernières années. Ces données ont été recueillies par **Statistique Canada.** Statistique Canada est une agence gouvernementale qui recueille, structure et analyse des données sur tous les aspects de la vie au Canada.

Pour accéder au site Web de Statistique Canada, rends-toi à l'adresse suivante : www.dlcmcgrawhill.ca.

Espérance de vie à la naissance des hommes nés entre 1801 et 1941			
1801: 37,76 ans	1841: 40,78 ans	1881: 47,95 ans	1921: 62,85 ans
1811: 38,61 ans	1851: 41,71 ans	1891: 49,35 ans	1931: 66,28 ans
1821: 39,40 ans	1861: 42,70 ans	1901: 53,16 ans	1941: 70,66 ans
1831: 40,13 ans	1871: 45,27 ans	1911: 57,70 ans	

Comment peux-tu structurer ces données ? Quelles tendances vois-tu dans les données ? Quelles conclusions peux-tu en tirer ? Quels types de diagrammes pourrais-tu employer pour les représenter ? Comment ces diagrammes t'aideraient-ils à voir des tendances dans les données ?

•••••••••••••••••••••••••••••••••••

1. Jacques travaille pour un journal. Il rédige un article sur le coût du déneigement dans les villes canadiennes. Ce coût est lié à la quantité de neige tombée. Jacques a trouvé les données suivantes dans le site Web de Statistique Canada.

Ville	Chutes de neige, moyenne annuelle (cm)
Vancouver	54,9
Calgary	135,4
Regina	107,4
Toronto	135,0
Ottawa	221,5
Québec	337,0
Halifax	261,4

Jacques a choisi de faire un **diagramme à bandes** dans son article. Ce type de diagramme sert à comparer des quantités. Des espaces égaux séparent les bandes. Les bandes peuvent être horizontales ou verticales.

Jacques fait le diagramme à l'aide d'un tableur. Il inscrit des légendes et donne un titre au diagramme. Chaque bande représente la quantité moyenne de neige tombée dans une ville.

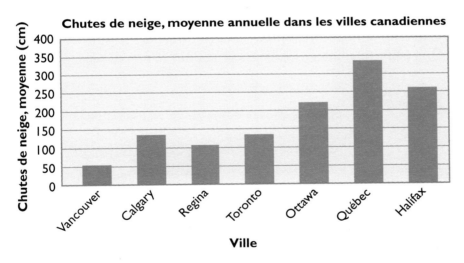

a) Que représente l'axe vertical ?
b) Décris l'échelle utilisée sur l'axe vertical. Comment a-t-on choisi l'échelle ?
c) Que représente l'axe horizontal ?
d) Quelle ville reçoit le plus de neige, en moyenne ?
e) Quelle ville reçoit le moins de neige, en moyenne ?
f) Quelles sont les deux villes qui reçoivent des quantités de neige semblables ?
g) Quel mode de présentation est le plus facile à lire : le tableau présenté ci-dessus ou le diagramme à bandes ? Explique.

h) Jacques envoie son diagramme à bandes au service d'infographie du journal. Le graphiste le transforme afin d'attirer l'attention des lecteurs. Quels sont les avantages de cette présentation ? Quels sont les inconvénients ?

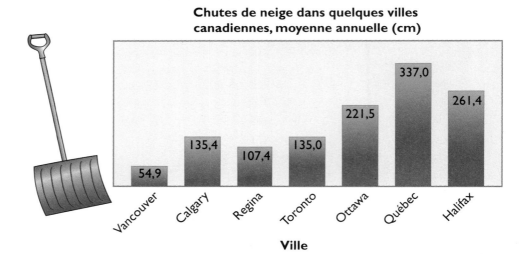

Chutes de neige dans quelques villes canadiennes, moyenne annuelle (cm)

Vancouver 54,9 ; Calgary 135,4 ; Regina 107,4 ; Toronto 135,0 ; Ottawa 221,5 ; Québec 337,0 ; Halifax 261,4

Ville

2. Un site Web gouvernemental fournit des renseignements sur des emplois. Dans la section qui traite du domaine du transport, un diagramme à bandes montre les secteurs qui emploient du personnel. Les bandes sont horizontales.

   a) Que représentent les nombres situés à droite des bandes ?
   b) Que peux-tu ajouter à ce diagramme pour le rendre plus facile à lire ?

Pour accéder au site Web du gouvernement sur l'emploi, rends-toi à l'adresse suivante : www.dlcmcgrawhill.ca.

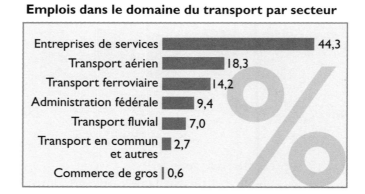

Emplois dans le domaine du transport par secteur

Entreprises de services	44,3
Transport aérien	18,3
Transport ferroviaire	14,2
Administration fédérale	9,4
Transport fluvial	7,0
Transport en commun et autres	2,7
Commerce de gros	0,6

3. Ce pictogramme montre le pourcentage de la population qui travaille dans le domaine du transport par groupe d'âge et le pourcentage de la population œuvrant dans tous les domaines, par groupe d'âge.

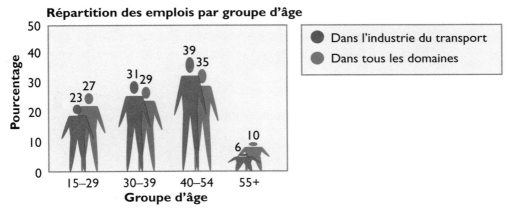

a) Quel est le pourcentage total de la population qui travaille dans l'industrie du transport ?

b) Quel est le pourcentage total de la population œuvrant dans tous les domaines ?

c) Selon toi, pourquoi ces pourcentages totaux ne sont-ils pas de 100 % ?

d) Dans quel groupe d'âge y a-t-il le plus de gens qui travaillent dans l'industrie du transport ?

e) On aurait également pu représenter ces données dans un **diagramme à bandes doubles** plus conventionnel. Un diagramme à bandes doubles permet de comparer deux ensembles de données. Selon toi, quel diagramme est le plus facile à comprendre, le pictogramme ou le diagramme à bandes doubles ? Pourquoi ?

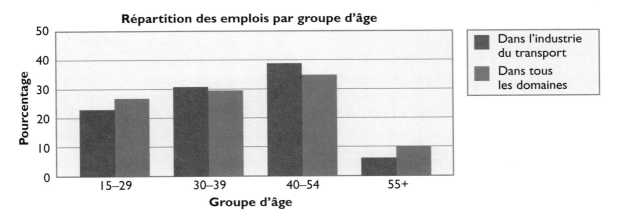

f) Observe le nombre d'années couvert par chaque groupe d'âges dans le diagramme. Comment cette répartition peut-elle porter à confusion ?

4. Karine fabrique une affiche pour une recherche qu'elle fait dans son cours d'éducation physique. Dans un journal, elle a trouvé les meilleurs temps de l'épreuve de course de 100 m, de 1930 à 1999.

À l'aide d'un tableur, Karine a présenté ces données dans un **diagramme à ligne brisée.** Dans un diagramme à ligne brisée, on utilise des segments de droite pour relier des points. Ce type de diagramme sert souvent à montrer un changement à travers le temps. Pour améliorer l'apparence de son diagramme, Karine a changé la couleur de l'arrière-plan et y a ajouté quelques images d'athlètes.

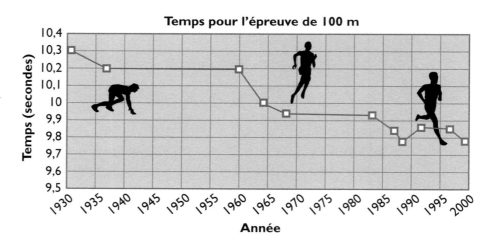

a) Quel était le meilleur temps de l'épreuve de 100 m en 1964 ?

b) Entre quelles années y a-t-il eu la plus grande variation dans le temps de l'épreuve de 100 m ? Comment le sais-tu ?

c) Quand y a-t-il eu une augmentation du temps réalisé du 100 m ? Comment le sais-tu ?

d) Karen aurait pu illustrer les temps en utilisant un diagramme à bandes. Selon toi, pourquoi a-t-elle utilisé un diagramme à ligne brisée ?

5. François étudie l'effet de diverses sources de stress sur les gens. Selon lui, une combinaison de conditions économiques difficiles et d'incertitude politique provoque un stress. Ce stress peut mener les gens à conduire dangereusement et à devenir violents. François a trouvé des données sur le nombre de décès dans des accidents de la route et le nombre de décès par meurtre pendant la même période. Il a comparé ces données dans un diagramme à ligne brisée double.

Pour cela, François utilise un **diagramme à ligne brisée double** qui permet de comparer deux ensembles de données qui changent avec le temps.

a) Quelles tendances François devrait-il rechercher dans le diagramme ?

b) Quelles tendances remarques-tu ?

c) Si François avait raison, le nombre de gens qui ont une conduite dangereuse au volant augmenterait en même temps que le nombre de gens qui deviennent violents. Selon toi, le diagramme montre-t-il ce fait ? Explique.

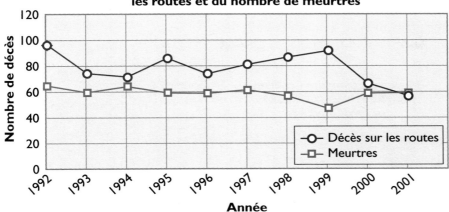

Comparaison du nombre de décès sur les routes et du nombre de meurtres

(Axe vertical : Nombre de décès ; Axe horizontal : Année)

Légende :
- Décès sur les routes
- Meurtres

6. Une ville a utilisé un **diagramme circulaire** (aussi appelé **diagramme en secteurs**) pour présenter son budget. Un diagramme circulaire se divise en secteurs qui représentent les parties d'un tout. Le diagramme circulaire ci-dessous représente les taxes foncières. Chaque secteur représente le pourcentage des taxes foncières attribué au paiement d'un service.

Où vont vos taxes foncières?

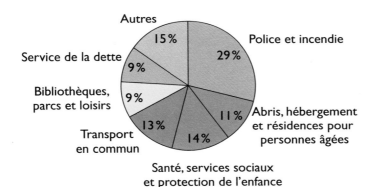

Autres 15 %
Police et incendie 29 %
Service de la dette 9 %
Bibliothèques, parcs et loisirs 9 %
Transport en commun 13 %
Santé, services sociaux et protection de l'enfance 14 %
Abris, hébergement et résidences pour personnes âgées 11 %

a) Quel service reçoit le plus grand pourcentage des taxes?

b) Quels sont les deux services qui reçoivent le même pourcentage des taxes?

c) Quels sont les deux services qui, combinés, reçoivent le même pourcentage que le service nommé en a)?

d) Quel est le total des pourcentages affichés dans le diagramme? Pourquoi?

e) Un propriétaire de maison verse une taxe foncière de 3000 $. Quelle partie de ce montant va aux services de police et d'incendie?

7. Plus loin dans le cours, tu vas créer des budgets personnels et familiaux. Pour t'y préparer, commence à noter tes dépenses. Trace un tableau sur une feuille comportant les en-têtes suivants:

Date	Article	Coût

8. Nomme chaque type de diagramme. Explique pourquoi chacun d'eux est approprié au type de données affichées.

a)

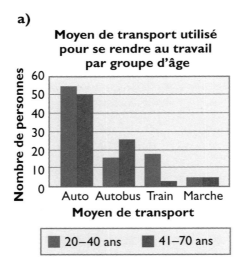

b)

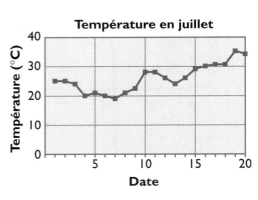

c)

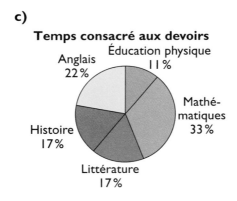

d)

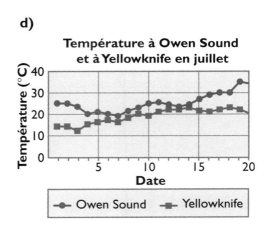

e)

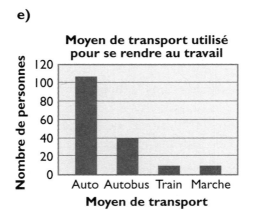

9. À l'exercice 6, le service diagramme de la Ville aurait pu faire un diagramme à bandes, plutôt qu'un diagramme circulaire, pour montrer la répartition des taxes foncières.

a) Quelles sont les ressemblances entre un diagramme circulaire et un diagramme à bandes ? Quelles sont les différences ?

b) Selon toi, quel diagramme représente le mieux ces données ? Explique.

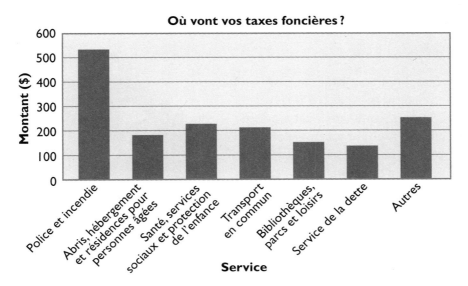

Où vont vos taxes foncières ?

10. Vérifie tes compétences On représente les pourcentages par des diagrammes circulaires. Exprime le pourcentage correspondant dans chaque cas.

a) 25 personnes sur 100   **b)** 50 ampoules électriques sur 200
c) 50 autos sur 500   **d)** 50 élèves sur 75
e) 2 maisons sur 3   **f)** 3 dentistes sur 5
g) 7 automobilistes sur 10   **h)** 1 téléphone sur 4

11. À l'exercice 2, un diagramme à bandes montre les secteurs d'activité du personnel dans le domaine du transport. Afficher seulement ces sept secteurs dans un diagramme circulaire ne signifierait pas grand-chose. Cependant, tu pourrais le faire si tu ajoutais un secteur « Autres ». Il te resterait à convertir les données en pourcentages du total. Explique pourquoi tu dois ajouter un secteur « Autres ».

Emplois dans le domaine du transport par secteur

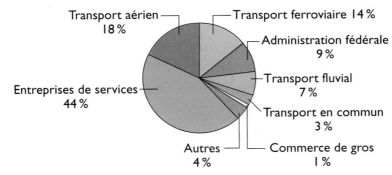

1.2 – La construction de diagrammes

Fais une recherche

Réfléchis aux types de diagrammes que tu as étudiés à la section 1.1. Comment peux-tu construire de tels diagrammes ?

Analyse

1. Jamal fait une enquête pour un groupe environnemental. Il a interrogé 222 personnes sur la façon dont elles se rendent au travail. Le groupe environnemental veut recueillir des statistiques, car il veut demander au gouvernement d'améliorer le transport en commun.

	A	B
I	**Moyen utilisé pour se rendre au travail**	
2	**Moyen de transport**	**Nombre de personnes**
3	Transport en commun	30
4	Véhicule moteur (conductrice ou conducteur)	147
5	Véhicule moteur (passagère ou passager)	19
6	Bicyclette	4
7	Marche seulement	12
8	Indéterminé	10

a) Construis un diagramme à bandes pour afficher les résultats. Donne-lui le titre : « Moyen utilisé pour se rendre au travail ». Nomme un axe « Moyen de transport » et l'autre axe « Nombre de personnes ». Modifie les tailles et les couleurs comme il te plaît.

b) Quel est le moyen de transport le plus utilisé pour se rendre au travail ?

c) Quel est le moyen de transport le moins utilisé pour se rendre au travail ?

d) Explique pourquoi un diagramme à bandes convient à ces données.

e) Comment le groupe environnemental pourrait-il utiliser ces données pour réclamer une amélioration du transport en commun ?

2. Suzanne a trouvé les statistiques de la division Est de la Ligue américaine dans le journal. Elle veut comparer les victoires et les défaites des équipes de base-ball.

ÉQUIPE	V	D
Red Sox de Boston	43	28
Yankees de New York	40	31
Orioles de Baltimore	34	38
Blue Jays de Toronto	34	38
Devil Rays de Tampa Bay	21	51

a) Construis un diagramme à bandes doubles pour présenter les victoires et les défaites de chaque équipe. Donne-lui le titre : « Statistiques de la division Est de la Ligue américaine ». Nomme un axe « Équipe » et l'autre axe « Nombre de matchs ». Dans une légende, indique les bandes qui représentent les victoires et celles qui représentent les défaites. Modifie les tailles et les couleurs comme il te plaît.

b) Détermine l'équipe qui a connu :

I) le plus de victoires   **II)** le moins de défaites

III) le moins de victoires   **IV)** le plus de défaites

c) Explique le lien entre les réponses en b).

d) Explique pourquoi un diagramme à bandes doubles est celui qui convient le mieux à ce type de données.

3. Kashmira travaille dans une usine qui plaque du cuivre sur des cartes de circuit imprimé. Une fois par semaine, elle mesure la concentration de cuivre dans le bain chimique et elle compare les résultats. Le tableur suivant fournit les données de janvier et de février.

	A	B
1	**Concentration de cuivre dans le bain chimique**	
2	**Date**	**Concentration de cuivre (g/L)**
3	4 janvier	15,06
4	13 janvier	14,22
5	20 janvier	13,86
6	27 janvier	13,32
7	3 février	12,90
8	10 février	14,94
9	17 février	14,10
10	24 février	13,26

a) Construis un diagramme à ligne brisée pour présenter ces données. Donne-lui le titre : « Concentration de cuivre dans le bain chimique ». Nomme un axe « Date » et l'autre axe « Concentration de cuivre (g/L) ».

b) Quand la concentration a-t-elle diminué ?

c) Quand la concentration a-t-elle augmenté ?

d) Explique pourquoi un diagramme à ligne brisée convient à ce type de données.

e) Est-ce que d'autres types de diagrammes conviennent à ce type de données ? Explique.

4. **Vérifie tes compétences** Détermine la différence entre les basses températures et les températures élevées.
   a) Élevée : 5 °C   Basse : 0 °C   **b)** Élevée : 7 °C   Basse : 1 °C
   c) Élevée : 3 °C   Basse : –3 °C   **d)** Élevée : 14 °C Basse : 2 °C
   e) Élevée : –6 °C Basse : –15 °C   **f)** Élevée : 1 °C   Basse : –9 °C

5. Ce tableur donne les températures moyennes à Ottawa et à Yellowknife en degrés Celsius.

	A	B
I	**Température moyenne à Ottawa et à Yellowknife**	
2	**Mois**	**Ottawa (°C)** / **Yellowknife (°C)**
3	Janvier	–10 / –29
4	Février	–10 / –25
5	Mars	–5 / –18
6	Avril	5 / –8
7	Mai	15 / 1
8	Juin	20 / 11
9	Juillet	25 / 18
10	Août	20 / 11
11	Septembre	15 / 8
12	Octobre	9 / 0
13	Novembre	0 / –12
14	Décembre	–8 / –22

Légende

— Ottawa
— Yellowknife

a) Construis un diagramme à ligne brisée double pour présenter ces données. Donne-lui le titre suivant : « Températures moyennes à Ottawa et à Yellowknife ». Nomme un axe « Mois » et l'autre axe « Température moyenne ». Utilise une **légende** semblable à la légende ci-contre pour indiquer ce que représente chaque ligne du diagramme.
b) Quand et où la température était-elle la plus élevée ? la moins élevée ?
c) Quand y a-t-il eu la plus grande différence de température entre les deux villes ? Quand y a-t-il eu la plus petite différence ?
d) Est-il plus facile de consulter le diagramme ou le tableur pour répondre à la partie c) ? Explique.
e) Explique pourquoi un diagramme à ligne brisée double convient à ce type de données.

6. La société de Michel fabrique des articles vendus dans les concerts. Voici une liste des quantités d'articles fabriqués par sa société le mois dernier.

	A	B
1	**Articles de concerts fabriqués le mois dernier**	
2	**Type**	**Nombres**
3	T-shirts	1500
4	Chapeaux	324
5	Bandeaux	260
6	Programmes	850
7	Affiches	235
8	Cartes de collection	140
9	Porte-clés	250

ST
  a) Construis un diagramme circulaire pour présenter ces données.
  b) Quel type d'article est le plus fabriqué ? le moins fabriqué ?
  c) Explique pourquoi un diagramme circulaire convient à ce type de données.
  d) Si tu avais des données sur la production mensuelle, et ce pour plusieurs mois, le diagramme circulaire ne conviendrait plus aux données. Pourquoi ?

7. Quel type de diagramme utiliserais-tu pour présenter les données suivantes ? Justifie ton choix.

  a) Les pourcentages de ton allocation que tu consacres à tes économies, à tes dépenses personnelles, aux dons de charité et aux loisirs.
  b) Le nombre d'heures que tu consacres à tes devoirs de mathématiques chaque semaine pendant une étape.
  c) La moyenne des notes aux examens de lecture, de rédaction et de mathématiques de ton école.
  d) La moyenne des notes aux examens de lecture, de rédaction et de mathématiques de ton école, comparativement à la moyenne des notes aux examens dans ces matières pour toutes les autres écoles de la province.
  e) Le nombre d'heures que tu consacres à tes devoirs de mathématiques chaque semaine, comparativement au temps que tu consacres à tes devoirs de français.

8. Si tu voulais repérer une augmentation ou une diminution dans le temps, quel type ou quels types de diagramme choisirais-tu ?

1.3 — Gros plan sur...
le travail en usine

Thomas travaille dans une petite usine où on fabrique des cartes de circuits imprimés. Ces cartes sont destinées aux ordinateurs.

Thomas place des cartes vierges à l'extrémité d'une grosse machine. La machine plaque des circuits de cuivre sur les cartes. Thomas doit lire les bons de commande pour déterminer la quantité de cartes à fabriquer et la marche à suivre.

Circuits imprimés Clairmont

Client
Salem Informatique inc.
1352, route de Bondy
Notreville

Commande n° <u>2037</u>

S'assurer de l'absence de défaut sur les cartes avant de commencer le plaquage.

Partie n° <u>53</u>
Épaisseur du plaquage <u>0,05 mm</u>
Temps du plaquage <u>1 heure</u>
Courant <u>12 A</u>
Nombre demandé <u>50</u>

Le travail terminé, faire parvenir les cartes au service d'inspection.

Date _____

Signature de la ou du machiniste _____

---

1. **a)** Décris les tâches de Thomas.
   b) Comment utilise-t-il ses compétences en lecture dans son travail ?
   c) Combien de cartes Thomas doit-il plaquer pour la commande n° 2037 ?
   d) Quelle épaisseur la plaque de cuivre doit-elle avoir ?
   e) Que doit faire Thomas avant de mettre une carte dans la machine ?
   f) Que doit faire Thomas avec les cartes une fois le travail terminé ?

2. Pourquoi Thomas doit-il signer le bon quand il a fini de remplir la commande ?

3. Chaque semaine, on mesure la concentration de cuivre dans la machine et on inscrit le résultat dans un diagramme. Thomas consulte les diagrammes pour maintenir la bonne concentration de cuivre dans la machine. Cette concentration doit se situer entre 12,00 et 15,60 g/L. Quand elle descend trop, Thomas ajoute du cuivre dans le bain chimique.

Thomas suit actuellement une formation. Il pourra bientôt prendre lui-même les mesures et les inscrire dans les diagrammes.

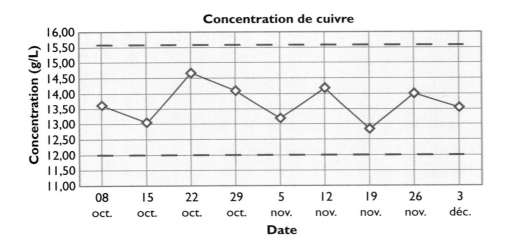

a) Comment Thomas utilise-t-il ces diagrammes pour son travail ?

b) Que doit apprendre Thomas pour être plus efficace au travail ?

4. Utilise le diagramme donné ci-dessus.

a) Quand la concentration de cuivre a-t-elle augmenté ?

b) Quand la concentration de cuivre a-t-elle diminué ?

c) Comment Thomas a-t-il modifié les concentrations le 15 octobre ou après ? Comment sais-tu que Thomas a fait ces modifications à partir du diagramme ?

d) Le 19 novembre, la concentration de cuivre n'était pas inférieure à 12,00. Selon toi, pourquoi Thomas a-t-il ajouté du cuivre ?

e) Selon toi, pourquoi y a-t-il deux lignes pointillées dans le diagramme, à 12,00 et à 15,60 ?

f) Pourquoi un diagramme à ligne brisée convient-il dans ce cas ?

5. Aimerais-tu travailler dans une petite usine ? Explique.

1.4 — # La construction et l'interprétation de diagrammes

Il y a toutes sortes de diagrammes. Parfois un type de diagramme représente certaines données mieux que les autres. D'autres fois, plusieurs types de diagrammes conviennent bien à un ensemble de données.

Dans cette section, tu vas choisir et construire le type de diagramme qui te semblera le plus approprié aux données.

Fais une recherche

Tu veux prouver que tu essaies d'améliorer tes résultats scolaires. Quels types de données devrais-tu recueillir pour souligner tes efforts ? Nomme le type de diagramme qui convient le mieux à chaque genre de données.

Analyse

1. Ce tableur donne la population mondiale de 1750 à 2050. Bien sûr, le nombre indiqué pour l'année 2050 est une estimation.

	A	B
1	**Population mondiale**	
2	**Année**	**Population en millions de personnes**
3	1750	791
4	1800	978
5	1850	1262
6	1900	1650
7	1950	1521
8	2000	6073
9	2050	8909

ST

a) Construis des diagrammes à l'aide du tableur. Essaie différents types de diagrammes pour déterminer celui qui convient le mieux aux données. Assure-toi de nommer les axes et de donner un titre à ton diagramme.

b) Dessine chaque diagramme que tu as essayé en a). Indique les avantages et les inconvénients de chacun.

c) Selon toi, quel type de diagramme convient le mieux à ces données ? Pourquoi ?

d) Dans quel intervalle de temps la population mondiale a-t-elle le plus augmenté ?

e) Selon toi, pourquoi y a-t-il eu une forte augmentation à cette époque en particulier ?

f) Selon toi, comment la population de 2050 a-t-elle été estimée ?

2. Cet ensemble de données indique les populations de l'Europe et de l'Amérique du Nord de 1750 à 2050.

	A	B	C
1	Populations de l'Europe et de l'Amérique du Nord en millions de personnes		
2	Année	Europe	Amérique du Nord
3	1750	163	2
4	1800	203	7
5	1850	276	26
6	1900	408	82
7	1950	547	172
8	2000	729	305
9	2050	628	392

a) Fais des diagrammes à partir des données du tableur. Essaie différents types de diagrammes afin de trouver celui qui convient le mieux aux données.

b) Pourquoi as-tu choisi ce type de diagramme en a) ?

c) Dans quel intervalle de temps la population a-t-elle le plus augmenté en Europe ?

d) Dans quel intervalle de temps la population a-t-elle le plus augmenté en Amérique du Nord ?

e) Selon toi, pourquoi la population de l'Amérique du Nord a-t-elle augmenté de façon importante entre 1850 et 1900 ?

f) Selon toi, pourquoi prédit-on que la population de l'Europe diminuera entre 2000 et 2050 ?

3. Cet ensemble de données indique l'énergie consommée par une personne de 68 kg lors de certaines activités.

	A	B
1	**Énergie consommée au cours d'activité**	
2	**Activité**	**Énergie consommée (kJ/min)**
3	Aérobic	29
4	Bicyclette (lente)	29
5	Bicyclette (modérée)	38
6	Basketball	38
7	Jogging	38
8	Course en montant des marches	71
9	Soccer	33
10	Natation	38
11	Tennis	33
12	Quilles	12

 a) Construis un diagramme qui présente les données du tableur. Essaie différents types de diagrammes afin de trouver celui qui te semble le plus approprié.

Pour accéder au site Web qui te permet de calculer l'énergie consommée, rends-toi à l'adresse suivante : www.dlcmcgrawhill.ca.

b) Pourquoi as-tu choisi ce type de diagramme en a) ?

c) Choisis l'un des autres types de diagrammes. Explique pourquoi il ne convient pas à ce type de données, selon toi.

d) Quelle activité consomme le moins d'énergie ?

e) Indique les deux activités que tu choisirais dans cette liste pour consommer plus d'énergie. Explique.

f) Pourquoi les gens veulent-ils consommer de l'énergie ?

4. Vérifie tes compétences Réponds par estimation aux questions suivantes.

a) Quel pourcentage approximatif du diagramme circulaire le secteur rouge représente-t-il ?

b) Quels sont les deux secteurs qui représentent environ la même valeur ?

c) Quel secteur de ce diagramme circulaire représente environ 35 % ?

d) Quel secteur représente environ 20 % ?

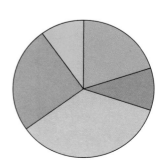

5. Le tableur ci-dessous donne les populations d'immigrantes et d'immigrants à Hamilton et à London (Ontario), selon le lieu de naissance. Statistique Canada a recueilli ces données lors du **recensement** de 1996. Un recensement est un comptage officiel de la population et un dossier statistique sur des sujets qui intéressent les scientifiques.

	A	B	C
1	**Populations d'immigrantes et d'immigrants selon le lieu de naissance**		
2	**Lieu de naissance**	**Hamilton**	**London**
3	États-Unis	5 360	4 045
4	Amériques centrale et du Sud	5 225	4 020
5	Caraïbes et Bermudes	5 045	2 075
6	Europe	105 105	49 320
7	Afrique	2 985	2 665
8	Asie	21 335	13 340
9	Océanie	600	515

(ST) **a)** À l'aide du tableur, construis le diagramme qui représente le mieux ces données.

b) Pourquoi as-tu choisi ce type de diagramme en a) ?

c) Dans le cas de Hamilton et de London, d'où vient la plus grande partie des immigrantes et des immigrants ?

d) Quelles autres observations peux-tu faire au sujet de ces données ?

6. Ce tableur montre le budget de Stéphane.

	A	B
1	**Budget mensuel de Stéphane**	
2	**Catégorie**	**Montant ($)**
3	Loisirs	75
4	Transports	22
5	Vêtements	22
6	Aliments	37
7	Épargne	7
8	Autres	14

(ST) **a)** Construis un diagramme à l'aide du tableur.

b) Pourquoi as-tu choisi ce type de diagramme en a) ?

c) À quelle catégorie Stéphane consacre-t-il le plus d'argent ?

d) À quelle catégorie Stéphane consacre-t-il le moins d'argent ?

e) Comment Stéphane pourrait-il modifier son budget afin d'économiser pour acheter une auto ? Explique tes suggestions.

1.5 Les diagrammes qui portent à confusion

La plupart des diagrammes que tu as vus dans ce chapitre présentent les données sans confusion possible. Cependant, à la page 5, tu as étudié deux diagrammes de groupes d'âge comportant des fourchettes inégales. Tu pourrais alors te poser les questions suivantes :

- Quel serait l'aspect du diagramme si ces fourchettes étaient égales, par exemple si chacune d'elles correspondait à une décennie ?
- La bande la plus haute le serait-elle toujours si le groupe d'âge qu'elle représente n'avait pas une fourchette si étendue ?
- Pourquoi a-t-on choisi de tels groupes d'âges ?

Les diagrammes peuvent porter à confusion. Parfois c'est intentionnel, parfois ça ne l'est pas.

Fais une recherche

Quelle impression chaque diagramme crée-t-il ?
Quel diagramme ne porte pas à confusion ? Pourquoi ?
En quoi l'autre diagramme porte-t-il à confusion ?
Pourquoi utiliserait-on le diagramme qui porte à confusion ?

a)

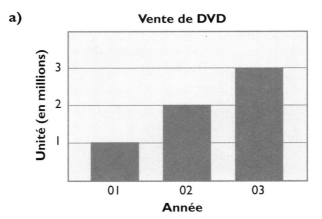

b)

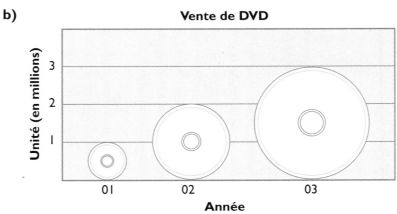

1. a) Quel diagramme affiche les données sans confusion possible ?

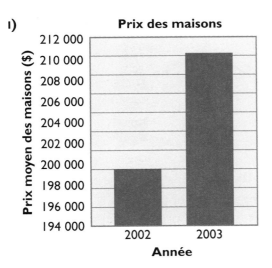

I)

Prix des maisons

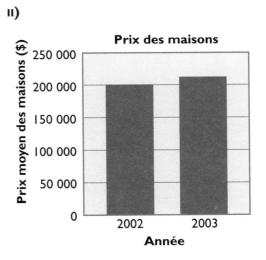

II)

Prix des maisons

b) Comment la construction du second diagramme porte-t-elle à confusion ?

c) Quel est le pourcentage de l'augmentation ? En d'autres mots, quel pourcentage du prix de 2002, 200 000 $, représente l'augmentation de 10 250 $?

d) Le pourcentage d'augmentation en c) est important, encore plus si les revenus et les autres prix n'ont pas augmenté autant. En te référant au diagramme ci-dessous, explique pourquoi un diagramme porte moins à confusion quand les valeurs sont des nombres élevés. Pourquoi l'échelle commençant à 0 affiche-t-elle une petite différence ?

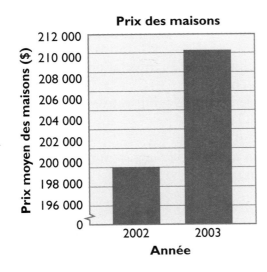

Prix des maisons

2. a) En quoi ce diagramme est-il trompeur ?

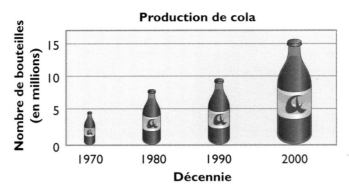

Production de cola

Nombre de bouteilles (en millions)

15

10

5

0

1970   1980   1990   2000

Décennie

b) Qui pourrait utiliser ce diagramme et pourquoi ?

c) Quels changements pourrait-on apporter au diagramme pour qu'il soit plus précis et moins trompeur ?

3. Une société montre le diagramme suivant à ses actionnaires et à ses clientes et ses clients.

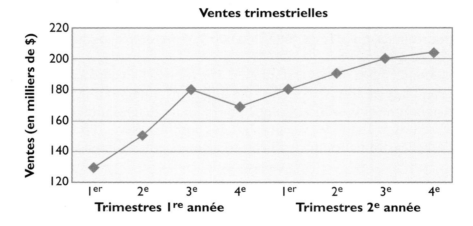

Ventes trimestrielles

Ventes (en milliers de $)

220

200

180

160

140

120

1er   2e   3e   4e   1er   2e   3e   4e

Trimestres 1re année   **Trimestres 2e année**

a) Quel trimestre a connu la plus grande augmentation de ses ventes par rapport au trimestre précédent ?

b) Décris les ventes de la deuxième année comparativement à celles de la première année.

c) Pourquoi ce diagramme est-il trompeur ?

d) De quelle façon pourrait-on modifier le diagramme pour présenter les données d'une manière plus précise ?

ST **4.** Représente graphiquement les données du tableur de la page ci-contre de la manière indiquée dans chacun des cas suivants. Explique chaque diagramme.

a) La manière dont les directeurs le feraient s'ils voulaient que leurs dépenses paraissent moindres.

b) La manière employée par les médias pour créer une impression de dépenses excessives des directeurs.

	A	B
1	AD CO Dépenses des directeurs	
2	Trimestre	Montant ($)
3	1er	92 000
4	2e	109 000
5	3e	128 000
6	4e	164 000

5. a) Quelle impression chaque diagramme crée-t-il ?

I)

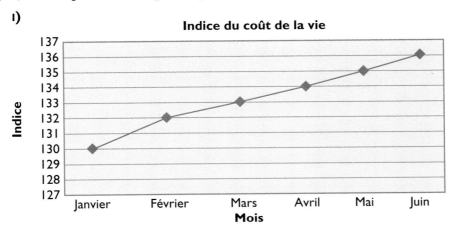

II)

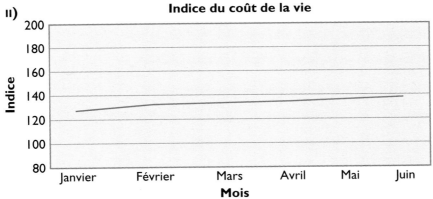

b) Fais une recherche pour trouver l'indice du coût de la vie et suggère une façon de représenter graphiquement les données de façon claire et sans confusion possible.

Pour accéder au site Web qui traite de l'indice du coût de la vie, rends-toi à l'adresse suivante : www.dlcmcgrawhill.ca.

6. Recherche des diagrammes dans les journaux, les magazines et Internet. Trouves-en au moins trois qui portent à confusion. Décris la façon dont chacun crée une impression trompeuse. Décris la manière dont on pourrait modifier chaque diagramme pour le rendre plus exact et moins trompeur.

Tour d'horizon : Vendre des chaussures

Amela gère un magasin de chaussures. Elle a recueilli des données sur ses ventes dans les tableurs suivants.

	A	B
1	Ventes annuelles de chaussures	
2	Année	Ventes ($)
3	1995	351 000
4	1996	329 000
5	1997	367 000
6	1998	382 000
7	1999	410 000
8	2000	415 000
9	2001	435 000

	A	B
1	Pointures des chaussures vendues en septembre	
2	Pointure	Nombre de paires vendues
3	6	70
4	7	245
5	8	221
6	9	148
7	10	53
8	11	31
9	12	32

	A	B
1	Ventes de septembre par catégorie	
2	Type de chaussures	Ventes ($)
3	Tenue soignée pour femmes	11 500
4	Tout-aller pour femmes	14 200
5	Tenue soignée pour hommes	5100
6	Tout-aller pour hommes	9200

ST **1. a)** Construis trois diagrammes à partir des tableurs afin de représenter les données sans confusion possible.

   b) Explique pourquoi tu as choisi chacun des types de diagrammes construis en a).

Consulte les diagrammes que tu as construits à l'exercice 1 pour faire les exercices 2 à 6.

2. Qu'est-il arrivé aux ventes annuelles d'Amela entre 1995 et 1996 ?

3. Selon toi, quelles seront les ventes d'Amela en 2002 ? Pourquoi ?

4. Quelle pointure de chaussures s'est le plus vendue en septembre ?

5. En septembre, Amela a vendu 800 paires de chaussures. Elle en commandera bientôt 400 paires. Environ combien de paires de pointure 9 devrait-elle commander ? Explique.

6. Quel type de chaussures s'est le plus vendu en septembre ?

7. Comment modifierais-tu le diagramme du premier ensemble de données pour donner l'impression que les ventes ont beaucoup augmenté ces dernières années ?

8. Dans les diagrammes, qu'est-ce qui laisse croire qu'Amela vend plus de chaussures pour femmes que de chaussures pour hommes ?

1. Donne des exemples de situations qu'on peut représenter par chaque type de diagramme :

   a) diagramme à bandes   **b)** diagramme à bandes doubles
   c) diagramme à ligne brisée   **d)** diagramme à ligne brisée double
   e) diagramme circulaire

2. Misha a reçu un compte de taxes foncières de 2728 $. Un diagramme circulaire illustre l'utilisation de ses taxes.

Vos taxes foncières au travail

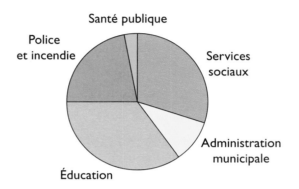

   a) Selon toi, pourquoi utilise-t-on un diagramme circulaire pour présenter ces données ?
   b) À quelle catégorie va la plus grande partie des taxes foncières versées par Misha ?
   c) Quelle catégorie reçoit le moins d'argent de ses taxes foncières ?
   d) Nomme deux catégories combinées qui reçoivent plus de la moitié du montant versé par Misha.

3. Dans un rapport, Statistique Canada révèle que plus les Canadiennes et les Canadiens consacrent de temps à Internet, moins ils en consacrent à la famille et aux amies et amis.

	A	B	C
1	Utilisation d'Internet		
2	**Temps consacré à Internet par semaine (heures)**	**Pourcentage des internautes qui consacrent moins de temps à leur famille en une semaine**	**Pourcentage des internautes qui consacrent moins de temps à leurs amies et amis en une semaine**
3	Moins de 5	5	4
4	De 5 à 15	8	8
5	Plus de 15	14	13

ST   a) Construis un diagramme à partir du tableur pour représenter les données de façon exacte.

b) Quel groupe consacre moins de temps aux amies et amis ?

c) Examine les données relatives aux internautes qui consacrent de 5 à 15 heures par semaine à Internet. Que remarques-tu si tu compares ces données à celles des deux autres groupes ?

d) Explique pourquoi un diagramme à bandes doubles convient dans ce cas.

e) Quel type de diagramme ne conviendrait pas à ces données ? Pourquoi ?

ST   **4.** Construis un diagramme qui représente les données ci-dessous. Justifie ton choix. Pourquoi as-tu choisi ce type de diagramme au lieu des autres ?

	A	B
1	Taille de Michel	
2	Âge (ans)	Taille (cm)
3	1	80
4	2	91
5	3	101
6	4	108
7	5	116
8	6	125

5. Consulte ton diagramme de l'exercice 4.

a) Y a-t-il une année où Michel a grandi plus vite que pendant les autres années ? Comment le diagramme l'indique-t-il ?

b) Comment pourrais-tu estimer la taille de Michel à 7 ans ?

6. a) Quelle impression ce diagramme crée-t-il ?

b) S'agit-il d'une impression trompeuse ? Explique.

Parts de marché

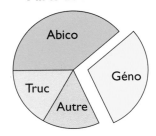

7. Une nouvelle entreprise connaît beaucoup de succès. Cette année, ses ventes représentent le double des ventes de l'année dernière, qui étaient de 1,5 million $. Décris deux façons de représenter graphiquement ces données dans le but d'exagérer cette augmentation. Penses-tu que ton diagramme porte à confusion ? Explique.

2 La collecte et l'organisation de données

Dans ce chapitre, tu vas employer des méthodes d'échantillonnage. Tu vas :
– interpréter et évaluer des statistiques présentées dans les médias ;
– recueillir des données et les consigner ;
– construire des tableaux et des diagrammes pour présenter ces données ;
– tirer des conclusions par l'interprétation des diagrammes.

Vers la fin du chapitre, tu recueilleras des données pour étudier un sujet qui t'intéresse.

2.1 - Les méthodes d'échantillonnage

Les gens recueillent des données sur toutes sortes de sujets et pour toutes sortes de raisons. Les organisations politiques et les firmes de marketing, par exemple, recueillent des données sur les opinions de la population. Les entreprises recueillent des données pour assurer la qualité de leurs produits. Les données recueillies permettent de prendre des décisions éclairées.

Fais une recherche

Voici une question de sondage :

> Devrait-on permettre l'utilisation de pesticides pour éliminer les mauvaises herbes dans les gazons ?
>
> Oui   Non   Sans opinion

Quels types d'organismes pourraient poser cette question ? Selon toi, cette question est-elle valable pour un sondage ? Pourquoi ?

Analyse

Recueillir des données auprès d'une **population** entière est habituellement coûteux et impossible à réaliser. La population est tout le groupe qu'on étudie. On recueille plus souvent les données auprès d'un **échantillon.** Un échantillon est un petit groupe choisi dans la population. Pour que les données soient utiles, l'échantillon doit bien représenter la population.

Un groupe environnemental veut recueillir des données sur la pollution de l'eau en Ontario. L'examen d'un seul lac, disons le lac Ontario, ne serait pas représentatif de la population des cours d'eau en Ontario. Un échantillon adéquat devrait inclure des lacs et des rivières de tailles variées et répartis dans la province.

1. Dans chacun des cas, explique pourquoi l'échantillon proposé ne représente pas bien la population.

   a) Pour déterminer le nombre de voitures par famille au Canada, on recueille des données à Edmonton et à Québec.

   b) Pour connaître l'opinion des Canadiennes et des Canadiens sur la pêche au large, on recueille des données dans les communautés de Terre-Neuve.

   c) Pour vérifier la qualité des voitures construites dans une usine, on teste les voitures fabriquées pendant le deuxième quart de travail du mardi.

   d) Pour connaître le restaurant rapide le plus populaire dans une ville, on interroge les gens qui entrent dans l'un des restaurants rapides de la ville.

Les **méthodes d'échantillonnage** sont les techniques utilisées pour la collecte de données auprès d'une population. La méthode choisie dépend de la nature des données à recueillir et de la population. Il y a :

- les sondages :
    au téléphone,
    par entrevue,
    par courrier ;
- les expériences ;
- le comptage ou la mesure.

2. Au chapitre 1, quelle méthode d'échantillonnage a-t-on utilisée, selon toi, pour recueillir les données :

   a) sur la quantité de neige tombée ? (page 3)
   b) l'âge des gens qui travaillent dans le domaine du transport ? (page 5)
   c) le moyen de transport utilisé pour se rendre au travail ? (page 10)
   d) la concentration de cuivre dans un bain chimique ? (page 11)

3. Les sondages doivent être simples et clairs. La formulation des questions doit éviter tout biais dans les réponses.

   Discute de chacune des questions de sondage ci-dessous. Améliore l'énoncé s'il y a lieu.

   a) Les cas de vandalisme ont augmenté. Pensez-vous qu'on devrait consacrer plus d'argent à la sécurité ?
                Oui   Non   Sans opinion

   b) Comment qualifieriez-vous le travail accompli par le premier ministre durant les six derniers mois ?
                Bon   Passable   Pauvre   Sans opinion

Passe à l'action •

4. Dans chaque cas, quelle méthode d'échantillonnage emploierais-tu ? Pourquoi ?

   a) Connaître le degré de popularité d'une nouvelle émission de télévision.
   b) Déterminer la concentration d'un produit chimique dans l'eau.
   c) Évaluer la nécessité d'un feu de circulation à une intersection.
   d) Connaître la qualité des feux d'artifice présentés.
   e) Connaître l'opinion des électrices et des électeurs sur la criminalité.

5. Étudie chaque question de sondage. Améliores-en l'énoncé au besoin.

a) Étant donné le déversement chimique qui s'est produit récemment, croyez-vous qu'on devrait faire passer les trains dans des régions moins peuplées ?

Oui   Non   Sans opinion

b) Êtes-vous en faveur d'une autoroute à péage entre Peterborough et Ottawa ?

Oui   Non   Sans opinion

c) Quelle marque de boisson gazeuse a le meilleur goût ?

Délisoda   Sensation   Framboise délicieuse   Hola !   Alerte rouge

d) On devrait garder les dauphins en captivité pour attirer les touristes.

En accord   En désaccord
5 4 3 2 1

6. Tu dois déterminer le degré de popularité des sports suivants à la télévision chez les adultes ontariens : hockey, football, basketball, course, golf et ski.

a) Choisis un échantillon de population et décris-le.

b) Choisis une méthode d'échantillonnage et explique pourquoi elle est valable.

7. Mathieu travaille au contrôle de la qualité pour un fabricant de céréales. Quelles méthodes d'échantillonnage pourrait-il employer dans le cadre de son travail ? Pourquoi le fabricant voudrait-il de ces contrôles ?

8. Suppose que tu travailles pour une entreprise de peinture. Comme tu travailles dehors, le temps qu'il fait est important. Tu dois recueillir les données sur la météo de la région pour déterminer la période où tu seras le plus occupé.

a) Quelle méthode d'échantillonnage utiliserais-tu pour recueillir les données ?

b) Comment noterais-tu les données ?

9. Rédige une question de sondage biaisée et une question non biaisée pour chacun des sujets suivants :

a) la popularité d'une nouvelle série télévisée

b) l'opinion de résidentes et de résidents concernant la criminalité dans leur quartier

2.2 — Les statistiques dans les médias

Fais une recherche

Regarde bien le slogan publicitaire ci-dessous. Quelles informations te donne-t-il ? Quelles informations ne te donne-t-il pas ? Quelles informations aimerais-tu connaître pour t'aider à décider si tu vas acheter Belles Dents ?

« Sept dentistes sur dix recommandent *Belles Dents* »

Analyse

Comme dans le domaine de la publicité, les médias rapportent souvent des statistiques dans leurs nouvelles.

> Sondage : environ 60 % des Canadiennes et des Canadiens croient que leur poids est idéal

> **Selon les Canadiennes et les Canadiens, l'environnement se détériore**

> Le taux de chômage au mois de juillet est resté stable à 7 %
> Le taux de chômage en Ontario a augmenté, passant de 6 % à 6,3 %

I. Les grands titres ci-dessus peuvent soulever des questions telles que :
- Que veut-on dire par poids idéal ? (ou environnement ou taux de chômage) ?
- Est-ce que la proposition est vraie pour mes amies et amis et les membres de ma famille ?
- D'où provient l'information ?
- Si l'information provient d'un sondage, qui a été sondé ? Par qui ?

Quelles autres questions ces grands titres soulèvent-ils ?

2. Lis la coupure de presse ci-dessous. Réponds ensuite aux questions pour t'aider à interpréter et à évaluer l'information.

La pauvreté est la première préoccupation des enfants

Un rapport qui doit être publié aujourd'hui révèle que si les jeunes Canadiens pouvaient changer une chose qui affecte la vie des jeunes gens de ce pays, ils s'attaqueraient à la pauvreté.

Le rapport, commandé par le gouvernement fédéral pour aider le Canada lors de sa participation à une prochaine réunion des Nations Unies pour les enfants, a révélé que la pauvreté se trouve en tête de la liste des préoccupations pour 18,5 % des 1200 jeunes qui ont été sondés.

« Certains des jeunes ont raconté leur propre situation de pauvreté, mais ils ont aussi jeté un regard à l'extérieur et dit qu'il était inacceptable que des gens vivent dans la rue et que des enfants ne puissent pas manger à leur faim », déclare Alana Kapell, qui a rassemblé les informations du rapport pour l'organisme à but non lucratif Aide à l'enfance Canada.

Les répondantes et les répondants ont donné des définitions de la pauvreté très différentes, citant l'importance d'avoir une alimentation nutritive, de pouvoir dormir dans un lit, d'avoir des vêtements et de pouvoir fréquenter une école.

Des jeunes de 7 à 18 ans de plusieurs communautés d'un bout à l'autre du Canada ont été sondés pour ce rapport que l'on appelle « Un Canada pour les enfants ».

Parmi d'autres préoccupations importantes que l'on trouve chez les jeunes Canadiennes et Canadiens, l'abus sexuel et la violence représentent la préoccupation première de 13,5 % des jeunes sondés, tandis que la drogue, l'alcool et la cigarette représentent la première préoccupation de 12,2 % des répondantes et des répondants. Plus de la moitié des jeunes sondés ont dit qu'ils désirent que les adultes « les écoutent, les comprennent, aient confiance en eux et se souviennent qu'il est difficile d'être jeune. »

Extrait du journal *The Toronto Star*, le 14 août 2001, par Nancy Carr, Presse canadienne.

a) Qui a conduit cette enquête ?

b) Pour qui a-t-elle été conduite ?

c) Qui a financé l'enquête ?

d) Quelles questions ont pu être posées dans cette enquête ?

e) Décris l'échantillon et la population de cette enquête.

f) Quelle est la taille de l'échantillon ?

g) Quelle est la première préoccupation des enfants et des jeunes de nos jours ?

h) Quelle est la définition de la pauvreté selon les enfants et les jeunes d'aujourd'hui ?

i) Quelles questions pourrais-tu poser pour t'aider à interpréter les résultats de l'enquête ?

j) Selon toi, est-ce que le titre représente bien les données ? Explique ta réponse.

3. Trouve un article dans un journal, un magazine ou dans Internet qui parle des résultats d'une enquête ou d'une étude. Réponds aux parties a) à f) et i) et j) de la question 2.

4. Il arrive parfois que les statistiques soient mal interprétées ou mal utilisées par accident ou par manque de connaissances. Parfois, les données sont mal utilisées délibérément dans l'intention de tromper ou de créer un certain attrait ou une certaine sensation. Explique pourquoi tu considères qu'il s'agit de statistiques mal utilisées.

2.3 — L'organisation et l'interprétation de données

Que te dit ce diagramme ? Qu'est-ce qu'il ne te dit pas ? Pour avoir une meilleure idée de la situation, quelles questions aimerais-tu poser sur ce sondage ou ce diagramme ?

Temps d'écoute de la radio chez les Canadiennes et les Canadiens de 12 à 17 ans

- Musique contemporaine pour adultes
- Succès souvenirs et rock
- Danse
- Country
- Classique
- Rock
- Musique contemporaine
- Autres

Source : Statistique Canada

Analyse ••

1. Un **tableau des effectifs** ou un **tableau de fréquences** est un outil efficace pour organiser des données recueillies. On y trouve les réponses possibles et une marque de dénombrement est notée à côté d'une réponse chaque fois que celle-ci est donnée. Ensuite, on compte le nombre de marques de dénombrement pour chaque réponse et toutes les réponses sont additionnées.

Le tableau suivant présente des données sur le degré de popularité des équipes de hockey canadiennes chez les élèves du secondaire à Toronto.

Équipe de hockey	Effectifs	Fréquence
Edmonton	ЖЖ	5
Toronto	ЖЖ ЖЖ |	11
Montréal	ЖЖ |	6
Calgary	|||	3
Vancouver	||||	4
Ottawa	ЖЖ |	6
Total		35

On peut représenter ces données par différents types de diagrammes.

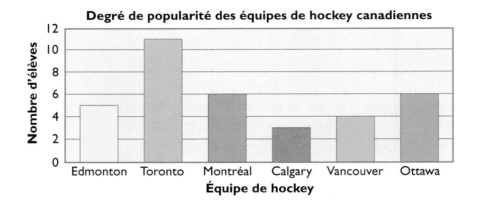

Degré de popularité des équipes de hockey canadiennes

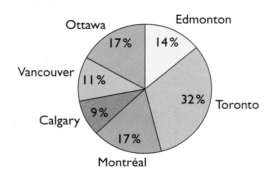

Degré de popularité des équipes de hockey canadiennes

a) Décris la population et l'échantillon.
b) Quel diagramme est le plus facile à lire ?
c) Quelle équipe est la plus populaire auprès de l'échantillon ? la moins populaire ?
d) En quoi les données de l'échantillon sont-elles utiles pour tirer des conclusions sur la population ?
e) Qui pourrait utiliser cette information ? Comment ?

2. a) Nomme cinq émissions de télévision diffusées aux heures de grande écoute (de 20 h à 23 h) le mardi.

   b) Rédige une question à poser à tes camarades de classe afin de recueillir certaines données sur ces émissions.

   c) Construis un tableau des effectifs pour consigner les résultats.

   d) Réalise le sondage auprès de tes camarades de classe.

3. Nicole a recueilli les données suivantes. Elle a nommé cinq émissions de télévision diffusées aux heures de grande écoute le mardi. Sa question de sondage était la suivante : « Quelle émission, parmi les suivantes, préfères-tu ? »

Émissions de télé	Effectifs	Fréquence
Pour rire	⊪	5
Cœur brisé	⊪ ⊪ ||	12
L'hôpital	|	1
Jeu-questionnaire	|||	3
Vent de folie	⊪ ||	7

(ST) **a)** Construis un diagramme à partir des données.

   b) Si tu étais productrice ou producteur pour la télévision, quelle émission retirerais-tu de l'antenne ?

   c) Si tu étais annonceuse ou annonceur, quelle émission commanditerais-tu ? Pourquoi ?

   d) Qui d'autre pourrait utiliser de telles données ?

4. a) Nomme cinq restaurants rapides.

   b) Rédige une question à poser à tes camarades de classe pour recueillir des données sur la nourriture de ces restaurants.

   c) Construis un tableau des effectifs pour consigner les résultats.

   d) Réalise le sondage auprès de tes camarades de classe.

5. a) Nomme cinq activités pour lesquelles tes camarades et toi dépensez votre argent. Par exemple : aller au cinéma.

   b) Rédige une question à poser à tes camarades de classe pour recueillir des données sur leurs dépenses.

   c) Construis un tableau des effectifs pour consigner les résultats.

   d) Réalise le sondage auprès de tes camarades de classe.

6. Cet ensemble de données est basé sur un passage de 100 mots d'un livre.

Nombre de lettres	Effectifs	Fréquence
1					3
2	HHT HHT HHT ||||	19
3	HHT HHT HHT HHT |||	23
4	HHT HHT HHT HHT	20
5	HHT |||	8
6	HHT HHT	10
7	HHT ||	7
8					3
9					3
10 et plus	||||	4

ST

a) Construis un diagramme.
b) Pourquoi as-tu choisi ce type de diagramme?
c) Quelle est la longueur de mot la plus courante? la moins courante?
d) Est-il plus facile de répondre à la question en c) à l'aide du tableau ou du diagramme? Pourquoi?
e) Quel type de diagramme choisirais-tu pour présenter les données du présent exercice? Et pour représenter la longueur des mots d'un livre pour enfants?
f) Que pourrais-tu trouver si tu comparais les données à l'aide du diagramme choisi en e)?
g) Qui pourrait utiliser ce type de données? Dans quel but?

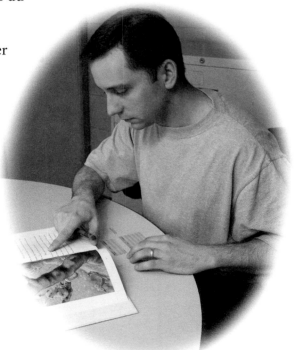

2.4 — # Gros plan sur… le télémarketing

Alain est représentant en télémarketing. Il fait des ventes par téléphone et conserve des dossiers sur les clientes et les clients potentiels et sur les ventes.

On trouve également les tâches suivantes en télémarketing :
• réaliser des sondages par téléphone ;
• recueillir des fonds pour des organismes de charité par téléphone.

Alain a obtenu cet emploi parce qu'il possédait les compétences suivantes :
• bonnes habiletés de communication en français et en anglais ;
• capacité de parler clairement et de bien entendre au téléphone ;
• bon service à la clientèle ;
• capacité de rester assis durant des périodes assez longues ;
• habiletés au clavier et à la saisie de données ;
• connaissance des techniques de vente ;
• diplôme d'études secondaires.

Alain travaille dans un centre d'appel. Il travaille seul. Il porte un casque téléphonique et saisit les données des appels dans l'ordinateur. Il travaille habituellement les soirs et les fins de semaine. Son employeur lui donne une formation sur place.

1. a) Quelles sont les principales tâches d'Alain ?
   b) Comment Alain utilise-t-il l'ordinateur dans son emploi ?
   c) En quoi consiste la formation d'Alain pour devenir représentant en télémarketing ?
   d) Selon toi, pourquoi les représentantes et les représentants en télémarketing travaillent-ils surtout les soirs et les fins de semaine ?

2. Réfléchis aux types d'appels de télémarketing que tu as reçus ou dont tu as entendu parler. Dresse une liste des types de sondages, de ventes et de collectes de fonds qu'on peut faire par téléphone.

3. Une station de télévision veut savoir combien de personnes, parmi la population des téléspectatrices et des téléspectateurs canadiens, regardent une nouvelle émission, par rapport à ceux qui regardent une émission du même genre.

   a) Comment une entreprise de télémarketing pourrait-elle sélectionner un échantillon dans la population des téléspectatrices et des téléspectateurs canadiens ?

   b) Quelles questions devrait-on poser pour amasser ces données ?

   c) Comment pourrait-on consigner les données ?

   d) Quel type de diagramme conviendrait à ce type de données ?

   e) Comment pourrait-on utiliser ces données ?

4. Tu veux déterminer le degré de popularité des restaurants rapides de ta région.

   a) Nomme cinq restaurants rapides de ta région.

   b) Décris brièvement le menu offert dans chaque restaurant.

   c) Rédige une ou plusieurs questions de sondage qu'on pourrait utiliser en télémarketing.

   d) Construis un tableau des effectifs pour consigner les données.

   e) Quel type de diagramme conviendrait aux données ?

   f) Si tu réalisais ce sondage, qui pourrait utiliser les résultats ? Comment pourrait-on les utiliser pour prendre des décisions ?

2.5 Tour d'horizon : Réaliser un sondage

1. a) Trouve un sujet qui t'intéresse et sur lequel tu aimerais recueillir des données.
   b) Rédige une ou plusieurs questions de sondage en lien avec ton sujet.
   c) Explique pourquoi tes questions sont valables.
   d) Énumère quatre à six réponses possibles à chaque question.
   e) Justifie les réponses que tu as choisies en d).
   f) Détermine une population et le meilleur échantillon pour ton sondage. Décris ton échantillon.
   g) Décris une méthode de sondage et justifie ton choix.
   h) Prédis ce que les résultats indiqueront.

2. Réalise ton sondage. Utilise ta classe comme échantillon. Consigne les données dans un tableau des effectifs.

3. Sers-toi des données recueillies à l'exercice 2.
   a) Saisis les données dans un tableur.
   b) Construis un diagramme à bandes, un diagramme à ligne brisée et un diagramme circulaire.
   c) Quel diagramme représente le mieux les données ? Pourquoi ?
   d) À partir de tes données et de tes diagrammes, tire une conclusion ou formule un énoncé général pour répondre à la question de sondage.
   e) Compare les résultats avec la prédiction que tu as faite à l'exercice 1 g). Explique les différences.

2.6 — Résumé

1. Martha travaille pour une entreprise de sondages et doit étudier les habitudes d'achats de la clientèle d'une épicerie de Barrie.

   a) Quelle population veut-elle étudier ?
   b) Décris l'échantillon qu'elle pourrait utiliser pour un sondage réalisé par courrier.

2. Grégoire installe un kiosque alimentaire au centre communautaire. Il se questionne sur le type d'aliments qu'il devrait vendre.

   a) Décris la population qui pourrait intéresser Grégoire.
   b) Décris une méthode d'échantillonnage qu'il pourrait utiliser.
   c) Rédige une question de sondage qu'il pourrait poser.

3. Analyse si la méthode d'échantillonnage et la méthode de sondage mentionnées ci-dessous conviennent ou non. Sinon, propose des améliorations.

   Pour déterminer si le tabagisme est bon ou non pour la santé, un sondeur a interrogé cinq fumeuses et fumeurs choisis au hasard à l'extérieur de 10 édifices à bureaux au centre-ville de Toronto.

4. Formule au moins quatre questions que ce titre d'article soulève.

   Quatre Canadiens sur cinq ne sont pas satisfaits des soins de santé

5. Tania a interrogé les personnes de sa communauté sur le temps qu'elles consacrent à diverses activités physiques. Elle a structuré les résultats et les a présentés dans un diagramme.

   a) Tire des conclusions à partir des diagrammes.
   b) Quelle information additionnelle aimerais-tu avoir sur le sondage ou les diagrammes ?
   c) Quel diagramme convient le mieux aux données ? Lequel convient le moins ? Explique.

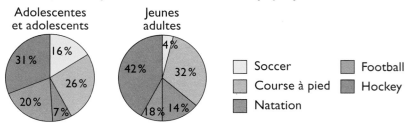

Temps consacré aux activités physiques

Adolescentes et adolescents : 16 %, 26 %, 7 %, 20 %, 31 %

Jeunes adultes : 4 %, 32 %, 14 %, 18 %, 42 %

Soccer — Course à pied — Natation — Football — Hockey

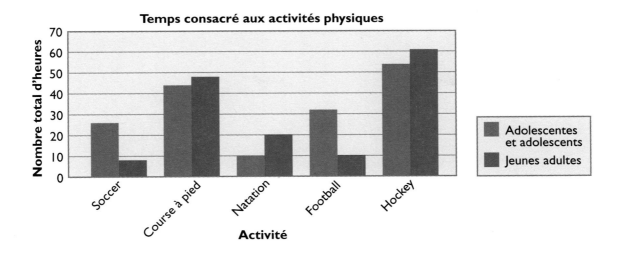

Temps consacré aux activités physiques

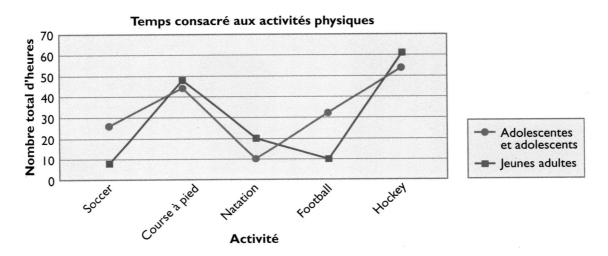

Temps consacré aux activités physiques

6. Miguel a réalisé un sondage pour prédire l'élève qui remportera les élections à son école. Il a choisi au hasard 25 élèves de différentes années. Voici les résultats relatifs aux cinq candidates et candidats : Ahmed, Catherine, Carlos, Fanny, Catherine, Isabelle, Ahmed, Fanny, Isabelle, Fanny, Ahmed, Isabelle, Carlos, Fanny, Ahmed, Fanny, Ahmed, Fanny, Isabelle, Ahmed, Fanny, Isabelle, Fanny, Isabelle, Fanny.

a) Construis un tableau des effectifs.
b) Construis un diagramme à bandes, un diagramme à ligne brisée et un diagramme circulaire.
c) Quel diagramme présente les données le plus efficacement ? Explique.
d) Tire des conclusions à partir des données et des diagrammes.

3 — Les probabilités

Dans ce chapitre, tu vas :
– interpréter des probabilités
  expérimentales pour faire
  des prédictions et t'aider à
  prendre des décisions ;
– calculer des probabilités
  théoriques d'événements
  simples ;
– exprimer des probabilités
  sous forme de fractions,
  de nombres décimaux et
  de pourcentages ;
– faire des expériences de
  probabilités et comparer
  les résultats obtenus avec
  des probabilités théoriques ;
– simuler des situations de
  la vie courante ayant trait
  aux probabilités.

Vers la fin du chapitre, tu vas :
– calculer la probabilité
  théorique d'un événement
  simple ;
– recueillir des données
  expérimentales pour expliquer
  la probabilité théorique
  d'une situation courante ;
– simuler la situation courante
  pour expliquer la probabilité
  théorique.

Les prédictions

La probabilité de précipitations pour une journée est de 30 %. La probabilité de gagner à une certaine loterie est de 1 sur 1000. La probabilité de se faire frapper par la foudre est de 1 sur 500 000. On entend tous les jours parler de probabilités, comme des statistiques. Une **probabilité** est une chance qu'un événement se produise.

Les probabilités sont une branche des statistiques. Dans les **probabilités empiriques** ou **expérimentales,** on recueille des données pour faire des prédictions.

Fais une recherche

En 297 présences au bâton, Cameron a frappé 102 coups sûrs. En 248 présences au bâton, Timothé a frappé 88 coups sûrs. Quel joueur a la plus grande probabilité expérimentale de frapper un coup sûr à sa prochaine présence au bâton ? Explique.

Analyse

1. Christine et sa famille ont un chalet. Depuis 1901, on consigne la date à laquelle la glace qui recouvre le lac près de ce chalet casse. Cet événement se produit toujours entre le 20 mars et le 5 mai de chaque année. Le tableau des effectifs ci-dessous montre le nombre de fois où la glace a cassé pour chaque date au cours d'une période de 100 ans, de 1901 à 2000.

20 mars		21		22		23				24		25			26			
27			28			29				30				31			1er avril		2		
3			4					5			6			7				8				9		
10			11			12			13				14					15					16	℟℟
17	℟℟ ||	18	℟℟ |||	19	℟℟ ||	20	℟℟	21	|||	22	||	23	||
24				25	℟℟	26						27				28			29				30		
1er mai						2		3				4		5						

La probabilité expérimentale que la glace casse un jour ou des jours donnés est :

$$\frac{\text{nombre de fois où la glace a cassé le jour ou les jours donnés}}{\text{nombre d'années étudiées}}.$$

Détermine la probabilité, sous forme de fraction, que la glace casse :

a) le 20 mars   **b)** le 25 avril
c) le 12 mai   **d)** le 10 mars
e) au mois de mars   **f)** au mois d'avril
g) au mois de mai   **h)** avant le début du mois de mai
i) avant le début du mois d'avril   **j)** entre le 20 mars et le 5 mai

Utilise les probabilités établies à l'exercice 1 pour faire les exercices 2 et 3. Explique tes réponses.

2. **a)** Selon toi, est-il possible que la glace ait cassé le 1er juin 2001 ?
   b) Selon toi, est-il possible que la glace ait cassé le 15 mars 2002 ?
   c) Selon l'exercice 1, parties a), b) et c), à quelle date la glace est-elle le plus susceptible de casser en 2003 ?
   d) Comment la famille de Christine pourrait-elle utiliser cette information ?

3. **a)** Que remarques-tu au sujet des réponses de l'exercice 1, parties e) et i) ?
   b) Que remarques-tu au sujet des réponses de l'exercice 1, parties c) et d) ? Nomme un événement de la vie courante qui a la même probabilité.
   c) Que remarques-tu au sujet de la réponse de l'exercice 1, partie j) ? Nomme un événement de la vie courante qui a la même probabilité.
   d) Durant quel mois la glace est-elle le plus susceptible de casser ?

Passe à l'action ●

4. **Vérifie tes compétences** Utilise tes connaissances sur les nombres décimaux pour classer les moyennes au bâton suivantes. Ordonne-les de la plus grande probabilité de frapper un coup sûr lors de la prochaine présence au bâton à la plus petite probabilité de frapper un coup sûr lors de la prochaine présence au bâton.

   0,284   0,373   0,432   0,401   0,337   0,291   0,410

5. Dans le cadre d'une étude sur l'activité physique, on a demandé à 300 personnes âgées de 15 à 74 ans si elles faisaient de l'exercice au moins trois fois par semaine. Le tableau suivant indique les réponses positives (oui) par groupe d'âge.

Âge	Effectifs	Âge	Effectifs
15–24	ЖЖ ЖЖ ЖЖ III	45–54	ЖЖ ЖЖ ЖЖ ЖЖ ЖЖ ЖЖ ЖЖ ЖЖ ЖЖ II
25–34	ЖЖ ЖЖ ЖЖ ЖЖ ЖЖ ЖЖ ЖЖ ЖЖ ЖЖ ЖЖ ЖЖ ЖЖ II	55–64	ЖЖ ЖЖ ЖЖ ЖЖ I
35–44	ЖЖ ЖЖ ЖЖ ЖЖ ЖЖ ЖЖ ЖЖ ЖЖ IIII	65–74	ЖЖ ЖЖ ЖЖ III

On pose la même question à une personne de plus. Détermine la probabilité expérimentale, sous forme de fraction, qu'elle réponde « oui » si elle a :

   a) de 15 à 24 ans   **b)** de 35 à 44 ans
   c) plus de 24 ans   **d)** moins de 45 ans

6. En quoi l'information de l'exercice 5 serait-elle utile :
   a) à un organisme gouvernemental qui fait de la publicité sur l'importance de la santé physique ?
   b) à un centre d'exercice qui fait la promotion de ses installations ?

3.2 La prise de décisions

Si le bulletin météo du matin indique que la probabilité de précipitations dans l'après-midi est de 70 %, tu voudras peut-être apporter un parapluie.

On se base souvent sur des probabilités pour prendre des décisions. Par exemple, une compagnie d'assurances détermine le montant des primes d'assurances d'après des données recueillies. Les primes sont un montant que la compagnie d'assurances demande pour une couverture. Le montant des primes varie en fonction de la probabilité qu'une réclamation soit faite. Plus le risque est grand pour la compagnie d'assurances, plus la prime sera élevée.

Fais une recherche •

Suppose que tu veux assurer les biens mobiliers d'un appartement. Tu dois décider du montant de la couverture et de celui de la franchise.

Plus la couverture est élevée, plus le montant de la prime est élevé. Plus la franchise est basse, plus le montant de la prime est élevé.

Quelles probabilités aimerais-tu connaître avant de décider si tu vas assurer tes biens mobiliers ? Si tu décides de souscrire une assurance, quelle couverture et quelle franchise choisiras-tu ?

Analyse •

Les probabilités basées sur des faits connus peuvent aussi nous aider à prendre des décisions. Ce sont les **probabilités théoriques.**

I. Émilie doit décider si elle achètera un billet de loterie vendu par une œuvre de bienfaisance ou si elle fera un don. Pour déterminer les risques et les profits, elle a mené une petite enquête sur l'achat d'un billet et sur un don. Voici ce qu'elle a appris.

Chaque billet coûte 100 $.
L'œuvre de bienfaisance vendra 100 000 billets en tout.
Il y a 50 prix de valeur à gagner.
Pour chaque billet vendu, 25 $ iront à l'œuvre de bienfaisance ; le reste de l'argent sera consacré aux prix.
L'achat d'un billet ne représente pas un don ; l'œuvre de bienfaisance ne donne aucun reçu aux fins de l'impôt.
Tous les dons iront entièrement à l'œuvre de bienfaisance. Un don donne droit à un reçu aux fins de l'impôt pour le montant total du don ; ce reçu pourra servir à réduire l'impôt sur le revenu.

a) La probabilité théorique d'acheter un billet gagnant est

$$\frac{\text{le nombre de prix}}{\text{le nombre de billets vendus}}.$$

Quelle est la probabilité qu'Émilie gagne un prix si elle achète un billet ? Exprime ta réponse sous forme d'un nombre décimal.

b) Indique les profits et les risques liés à l'achat d'un billet.

c) Que ferais-tu à la place d'Émilie ? Explique.

Passe à l'action

2. Dans le domaine des assurances, fumer représente un facteur de risque. Les fumeuses et les fumeurs doivent payer des primes plus élevées pour leur assurance vie et leur assurance habitation. Quels événements ont une plus grande probabilité de se produire pour les gens qui fument que pour les gens qui ne fument pas ?

3. Une boutique fait un solde semestriel. Chaque cliente et chaque client reçoit une carte « Grattez et économisez » qui offre différents rabais.

Une carte sur 1000 offre un rabais de 50 %.
Sur 1000 cartes, 50 offrent un rabais de 25 % ; 200 offrent un rabais de 20 % ; 749 offrent un rabais de 10 %.

a) La probabilité théorique d'obtenir une carte qui offre un rabais donné est

$$\frac{\text{le nombre de cartes offrant le rabais donné}}{1000}.$$

Détermine la probabilité d'obtenir chaque rabais sous forme d'un nombre décimal.

I) 50 %   **II)** 25 %   **III)** 20 %   **IV)** 10 %
V) n'importe quel rabais   **VI)** 100 %

b) Quels sont les risques et les profits pour la clientèle ?

Pour chacune des situations ci-dessous, réponds aux parties a) à c).
a) Quelles probabilités voudrais-tu connaître avant de prendre une décision ?
b) Nomme les risques et les profits qui sont liés à la situation.
c) Quelle décision prendrais-tu ? Pourquoi ?

4. Luc est fatigué de porter des lunettes. Il envisage une chirurgie des yeux au laser pour corriger sa vision.

5. Shana organise des mariages. Elle informe une famille des risques et des profits d'organiser un mariage à l'extérieur.

6. Daniel vient tout juste d'acheter une voiture. Il se demande s'il doit acheter un système de sécurité pour sa voiture.

7. Claudine tente de décider si elle va investir une certaine partie de ses revenus dans des Obligations d'épargne du Canada, dans une petite entreprise que ses amis mettent sur pied ou dans une maison.

3.3 Gros plan sur… le travail de réceptionniste dans un cabinet médical

Margarita est réceptionniste dans un cabinet médical. Elle adore son travail même s'il est parfois très exigeant.

Elle doit entre autres tâches accueillir les patientes et les patients, vérifier leur carte d'assurance maladie, sortir leur dossier et les accompagner jusqu'à une salle d'examen.

Margarita doit aussi répondre aux appels téléphoniques pour donner les rendez-vous et répondre aux questions des gens.

À l'aide d'un horaire informatisé, elle fixe des rendez-vous aux personnes qui désirent une consultation médicale. Elle s'occupe des arrangements pour les patientes et les patients qui doivent rencontrer une ou un spécialiste, passer des radiographies ou subir des analyses dans un laboratoire.

De plus, Margarita cherche des dossiers pour les médecins et aide le comptable à faire la facturation.

1. Quelles sont les responsabilités de Margarita ?

2. Selon toi, quelles compétences doit-on posséder pour faire le travail de Margarita ?

3. Selon toi, quels traits de caractère conviennent bien au travail de réceptionniste ?

4. Margarita propose aux patientes et aux patients des brochures d'information sur des sujets liés à la santé, comme un mode de vie sain et la vaccination. Un patient ne sait pas s'il doit se faire vacciner contre la grippe. Margarita lui montre une brochure qui contient les renseignements suivants.

> On peut prévenir la grippe par un vaccin.
> Le vaccin contre la grippe protège environ 70 % des personnes qui le reçoivent. Certaines personnes attrapent la grippe même si elles ont reçu le vaccin, mais elles sont moins malades que celles qui ne sont pas vaccinées.
> Le vaccin prévient les pneumonies chez environ 6 personnes âgées sur 10.
> Il peut empêcher la mort causée par la grippe chez plus de 8 personnes âgées sur 10.
> Le vaccin peut entraîner de légers effets secondaires.

a) Quelle est la probabilité d'attraper la grippe si tu te fais vacciner ? Explique.

b) Quels avantages offre la vaccination contre la grippe ?

c) Quels risques entraîne la vaccination contre la grippe ?

d) Te ferais-tu vacciner contre la grippe ?

5. Une autre patiente s'inquiète. Son enfant doit se faire vacciner contre la rougeole, les oreillons et la rubéole (vaccin ROR). Cependant, elle a entendu dire que ce vaccin peut causer une encéphalite, c'est-à-dire une inflammation du cerveau. Margarita lui montre une brochure qui contient les renseignements suivants.

Sur un million d'enfants vaccinés, un enfant développera une encéphalite.
Les enfants qui ne se font pas vacciner peuvent attraper la rougeole.
Si un enfant attrape la rougeole, il peut développer une encéphalite.
Sur 1000 enfants qui attraperont la rougeole, un enfant développera une encéphalite.

a) Quelle est la probabilité de développer une encéphalite si tu reçois le vaccin ?

b) Quelle est la probabilité de développer une encéphalite si tu attrapes la rougeole ?

c) Quels sont les risques et les profits liés au vaccin ROR ?

d) Quelles autres probabilités aimerais-tu connaître avant de prendre une décision concernant le vaccin ROR ?

3.4 — La comparaison des probabilités

Fais une recherche •

La probabilité théorique de gagner le grand prix au loto 6/49 est de 0,000 000 071 5. La probabilité expérimentale de se faire frapper par la foudre est de 1 sur 500 000. Quel événement a le plus de chance de se produire ? Des gens disent que les loteries sont des impôts pour les personnes mal informées. Explique cet énoncé.

Analyse •

1. Voici la formule d'une probabilité :

$$\frac{\text{nombre de résultats favorables}}{\text{nombre de résultats possibles}}.$$

Tu as déjà calculé des probabilités à l'aide de cette formule. Détermine un résultat favorable et un résultat possible pour chacune des probabilités suivantes.

a) La probabilité expérimentale que la glace casse à une date donnée est

$$\frac{\text{nombre de fois où la glace a cassé à cette date}}{\text{nombre d'années étudiées}}.$$

b) La probabilité théorique d'obtenir une carte qui offre un rabais donné est

$$\frac{\text{nombre de cartes offrant le rabais}}{1000}.$$

2. Dans un café, une publicité indique qu'à l'achat d'un café de format géant, tu as une chance sur 10 de gagner un muffin gratuit. Sur 50 000 gobelets à café de format géant, 5 000 gobelets portent la mention « MUFFIN GRATUIT ». Un résultat favorable consiste à avoir un café de format géant avec la mention « MUFFIN GRATUIT ». Un résultat possible est d'avoir un café de format géant.

a) Quelle est la probabilité théorique de gagner un muffin gratuit si tu achètes un café de format géant ? Exprime ta réponse sous forme d'une fraction simplifiée.

b) Est-ce que la publicité du café est honnête ?

c) Écris la probabilité sous forme d'un nombre décimal et d'un pourcentage.

3. Janine tente de gagner un muffin gratuit. Elle a acheté 14 cafés de format géant et elle n'a toujours pas gagné. À l'achat du 15e café, elle obtient un muffin gratuit.

a) Quelle est la probabilité expérimentale selon les données de Janine ?

b) Les choses s'améliorent. À son 18e café, Janine obtient un deuxième muffin gratuit. Écris la probabilité expérimentale de gagner 2 muffins gratuits avec 18 cafés.

c) Suppose que quelqu'un note les résultats pour chaque personne qui achète un café de format géant. Selon toi, la probabilité expérimentale de gagner un muffin gratuit serait-elle exactement de 0,1, ou plus près de 0,1 que de la probabilité déterminée par Janine ? Explique.

Passe à l'action ●

4. Vérifie tes compétences Reproduis le tableau suivant et remplis-le.

	Probabilité			
Mots	**Fraction**	**Nombre décimal**	**Pourcentage**
a) 3 sur 25			
b) 4 sur 1 000			
c) 2 sur 10 000			

5. a) Détermine les données suivantes au sujet des élèves de ta classe :
  - **I)** le nombre total d'élèves
  - **II)** le nombre d'élèves de sexe féminin
  - **III)** le nombre d'élèves de chaque âge :
       moins de 16   16   17   18   19 ou plus
  - **IV)** le nombre d'élèves qui portent des lunettes

  b) Si on choisit une ou un élève au hasard dans ta classe, détermine la probabilité expérimentale :
  - **I)** qu'elle ou qu'il porte des lunettes
  - **II)** qu'elle ou qu'il ait moins de 16 ans
  - **III)** qu'elle ou qu'il ait moins de 19 ans
  - **IV)** qu'il s'agisse d'une fille

  c) Quelle probabilité de la partie b) est la plus grande : II) ou III) ?

6. Lors de la loterie d'un hôpital, on annonce que les gens ont une chance sur huit de gagner un prix. On vendra 80 000 billets. Si la publicité dit vrai, combien de prix remettra-t-on ?

7. Le Canadien Steve Nash est un lanceur très précis au basket-ball. Au cours de la saison 2001-2002, la probabilité qu'il marque un panier à partir d'un tir était d'environ 1 sur 2. Il a réussi un panier à 88,3 % de ses lancers francs.

Au cours de la même saison dans la NBA (*National Basketball Association*), Vince Carter a réussi un panier à 43,4 % de ses tirs. Sa moyenne de lancers francs réussis était d'environ 0,75. Quel joueur a marqué le plus de paniers à partir de tirs ? à partir de lancers francs ? Comment le sais-tu ?

— # Les expériences sur les probabilités

Fais une recherche •

On dit que le nombre 7 est chanceux. Si tu jettes deux dés, la probabilité d'obtenir une somme de 7 est plus grande que la probabilité d'obtenir n'importe quelle autre somme. Démontre que cet énoncé est vrai.

Analyse •

Certains outils sont très utiles pour faire des expériences sur les probabilités.

1. Combien y a-t-il de résultats possibles :
   a) lorsque tu lances une pièce de monnaie ?
   b) lorsque tu lances deux pièces de monnaie ?
   c) lorsque tu jettes un dé ?
   d) lorsque tu tires une carte d'un jeu de 52 cartes ?
   e) lorsque tu lances une pièce de monnaie et que tu jettes un dé ?

2. Des **résultats équiprobables** ont la même probabilité. Quelles paires de résultats ci-dessous sont équiprobables ?
   a) lancer une pièce de monnaie et obtenir le côté face ; lancer une pièce de monnaie et obtenir le côté pile
   b) jeter un dé et obtenir un 6 ; jeter un dé et obtenir un 4
   c) tirer une carte d'un jeu de 52 cartes et obtenir un as ; tirer une carte d'un jeu de 52 cartes et obtenir une carte de cœur

3. a) Quelle est la probabilité théorique d'obtenir un 6 lorsque tu jettes un dé ?
   b) Jette un dé 50 fois. Écris tes résultats dans un tableau des effectifs. Détermine la probabilité expérimentale d'obtenir un 6.
   c) Compare la probabilité expérimentale avec la probabilité théorique.
   d) Regroupe tes résultats de la partie b) avec ceux de tes camarades de classe. Il faut additionner tous les résultats qui sont des 6, puis le nombre total de jets du dé. Quelle probabilité expérimentale est plus près de la probabilité théorique : celle de la partie b) ou celle pour ta classe ?
   e) Pour comparer les probabilités dans les parties c) et d), as-tu utilisé des nombres décimaux, des fractions ou des pourcentages ? Pourquoi ?

6	II
Autre que 6	HHH
Total	HHH II

4. a) Tu lances trois pièces de monnaie. Prédis la probabilité théorique d'obtenir soit trois côtés face, soit trois côtés pile.

   b) Lance trois pièces de monnaie 50 fois. Écris tes résultats dans un tableau des effectifs. Détermine la probabilité expérimentale d'obtenir trois côtés face ou trois côtés pile.

   c) Regroupe tes résultats de la partie b) avec ceux de tes camarades de classe.

   d) Il y a une autre façon de déterminer la probabilité théorique d'obtenir trois côtés face ou trois côtés pile lorsque tu lances trois pièces de monnaie. Reproduis le diagramme en arbre ci-dessous et remplis-le. Compare tes résultats avec les prédictions de la partie a).

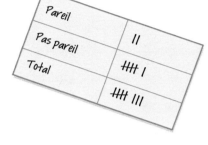

1re pièce   2e pièce   3e pièce

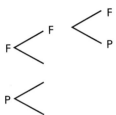

   e) Quelle probabilité expérimentale est plus près de la probabilité théorique : celle de la partie b) ou celle de la partie c) ?

5. a) Prédis la probabilité théorique de jeter deux dés et d'obtenir deux nombres inférieurs à 5.

   b) Jette deux dés 50 fois. Écris tes résultats. Détermine la probabilité expérimentale d'obtenir deux nombres inférieurs à 5 lorsque tu jettes deux dés.

   c) Regroupe tes résultats de la partie b) avec ceux de tes camarades de classe.

   d) Pour déterminer la probabilité théorique de jeter deux dés et d'obtenir deux nombres inférieurs à 5, tu peux remplir un diagramme en arbre ou un tableau comme celui ci-contre. Reproduis ce tableau et remplis-le. Compare tes résultats avec les prédictions que tu as faites dans la partie a).

   e) Quelle probabilité expérimentale est plus près de la probabilité théorique : celle de la partie b) ou celle de la partie c) ?

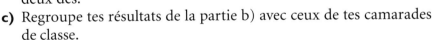
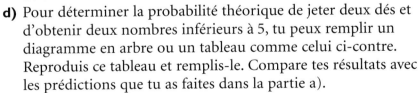

3.6 — Les simulations

Les expériences sur les probabilités permettent de simuler des situations de la vie courante. Dans une **simulation,** on présente une situation fictive. La simulation est souvent une solution de rechange à la collecte de données. Par exemple, suppose que tu veux déterminer la probabilité qu'une famille de quatre enfants se compose de quatre garçons. Tu peux bien sûr trouver des familles de quatre enfants et leur demander combien il y a de garçons. Cependant, tu peux aussi simuler la situation à l'aide d'un modèle qui offre :

- deux résultats équiprobables pour garçon ou fille,
- des groupements de quatre pour représenter les quatre enfants.

Fais une recherche

Utilise un générateur de nombres aléatoires ou un modèle physique, comme une pièce de monnaie ou un dé, pour déterminer la probabilité qu'une famille de trois enfants se compose de trois enfants du même sexe.

Analyse

1. Tu fais un test sur un sujet que tu ne connais absolument pas. Il y a 10 questions à choix multiple. Il y a quatre réponses possibles pour chaque question.

Tu peux déterminer la probabilité de réussir le test si tu choisis les réponses au hasard, c'est-à-dire la probabilité de deviner correctement cinq réponses ou plus.

Utilise un modèle qui offre :
- quatre résultats équiprobables pour les quatre réponses possibles,
- des groupements de 10 pour représenter les 10 questions.

Tu peux utiliser les quatre as (ou les quatre rois, etc.) d'un jeu de 52 cartes et tirer une carte à dix reprises.

a) Choisis les quatre cartes que tu vas utiliser.
b) Détermine la carte qui va représenter une bonne réponse.
c) Construis un tableau des effectifs. Laisse assez d'espace pour cinq essais.
d) Brasse les quatre cartes. Tire une carte et écris si la carte représente une bonne ou une mauvaise réponse. Remets la carte dans le paquet de quatre.
e) Refais la partie d) 10 fois en tout.
f) Refais les parties d) et e) pour 5 essais en tout.
g) Quelle est la probabilité expérimentale de réussir le test en choisissant les réponses au hasard ?
h) Regroupe tes résultats de la partie f) avec ceux de tes camarades de classe.
i) Selon toi, la probabilité théorique de réussir le test en choisissant les réponses au hasard peut-elle être de 0,078 127 ? Explique.

Essai — 10 cartes tirées	Bonne réponse	Mauvaise réponse
1		
2		
3		
4		
5		

2. Plutôt que de tirer toutes ces cartes, tu peux simuler la situation à l'aide d'un générateur de nombres aléatoires. Puisque tu as besoin de quatre résultats équiprobables pour les quatre réponses possibles, génère des entiers aléatoires de 1 à 4. Comme il y a 10 questions, génère 10 nombres aléatoires à la fois.

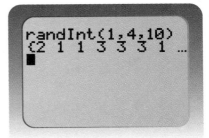

a) Prépare le générateur de nombres entiers aléatoires.

b) Choisis le nombre qui va représenter une bonne réponse.

c) Construis un tableau des effectifs. Laisse assez d'espace pour cinq essais, comme à l'exercice 1.

d) Prends en note les sept premiers nombres et précise si chacun d'eux représente une bonne ou une mauvaise réponse. Ensuite, fais dérouler les nombres jusqu'à ce que tu puisses voir la parenthèse fermante. Note les trois derniers nombres pour lesquels tu ne pouvais pas, au départ, déterminer s'il s'agissait de bonnes ou de mauvaises réponses.

e) Appuie sur entrée et répète la partie d) pour faire un deuxième essai. Continue jusqu'à ce que tu aies fait cinq essais.

f) Quelle probabilité expérimentale de réussir le test en choisissant les réponses au hasard obtiens-tu cette fois-ci?

g) Regroupe les résultats de la partie e) avec ceux de tes camarades de classe. Quelle probabilité expérimentale est plus près de la probabilité théorique de l'exercice 1 i) : celle pour ta classe ou celle de la partie f)?

Passe à l'action ●

3. Fais une simulation pour déterminer la probabilité qu'une famille de quatre enfants se compose de quatre garçons.

a) Combien de résultats équiprobables y a-t-il pour le sexe d'un enfant?

b) Choisis un modèle physique pour faire la simulation.

c) Choisis le résultat qui va représenter un garçon.

d) Construis un tableau des effectifs. Laisse assez d'espace pour 10 essais.

e) Effectue 10 essais.

f) Quelle est la probabilité expérimentale qu'une famille de quatre enfants se compose de quatre garçons?

g) Regroupe tes résultats de la partie e) avec ceux de tes camarades de classe.

h) Selon toi, la probabilité théorique qu'une famille de quatre enfants se compose de quatre garçons peut-elle être de 0,0625? Explique.

4. Utilise un générateur de nombres aléatoires pour déterminer la probabilité qu'une famille de quatre enfants se compose de quatre garçons. Compare tes résultats avec ceux de l'exercice 3.

5. **a)** Utilise un générateur de nombres aléatoires pour déterminer la probabilité de gagner un lot au loto 2/10, c'est-à-dire de choisir correctement 2 nombres sur 10. Effectue 10 essais.
   b) Quelle est la probabilité expérimentale de gagner un lot au loto 2/10 ?
   c) Selon toi, la probabilité théorique peut-elle être de 0,022 ? Explique.

6. **a)** Tu dois faire un test qui porte sur un sujet que tu ne connais absolument pas. On répond aux questions par vrai ou par faux. Fais une simulation pour déterminer la probabilité de répondre correctement à au moins six questions sur huit. Choisis un modèle approprié et effectue plusieurs essais. (Un générateur de nombres aléatoires est toujours approprié.)
   b) Quelle est la probabilité expérimentale d'avoir au moins six bonnes réponses sur huit ?
   c) Regroupe tes résultats de la partie a) avec ceux de tes camarades de classe.
   d) Selon toi, la probabilité théorique peut-elle être de 0,144 531 ? Explique.

7. **a)** Utilise un générateur de nombres aléatoires pour déterminer la probabilité que, dans une famille de deux enfants, les deux enfants soient nés le même mois.
   b) Quelle est la probabilité expérimentale que, dans une famille de deux enfants, les deux enfants aient le même mois de naissance ?
   c) Regroupe tes résultats de la partie a) avec ceux de tes camarades de classe.
   d) Pourquoi ce modèle ne représente-t-il pas bien la situation ?

8. Beaucoup de gens pensent que s'ils lancent une pièce de monnaie quatre fois et qu'ils obtiennent le côté pile quatre fois, ils obtiendront le côté face au lancer suivant. De même, des personnes pensent que, si une famille se compose de quatre garçons, il est plus probable que le prochain enfant sera une fille. Cependant, cela n'est pas vrai. Le résultat de chaque lancer d'une pièce de monnaie est indépendant des autres. Le sexe de chaque enfant qui naît est indépendant de celui des autres. Utilise un générateur de nombres aléatoires pour montrer que ces croyances sont fausses.

3.7 — Tour d'horizon : Les anniversaires au printemps

GÉ Quelle est la probabilité théorique que la date d'anniversaire d'une personne choisie au hasard soit au printemps ?

La probabilité théorique que la date d'anniversaire de trois personnes choisies au hasard soit au printemps est de seulement $\frac{1}{64}$ ou 0,015 625.

Recueille des données pour déterminer la probabilité expérimentale que la date d'anniversaire de trois personnes choisies au hasard soit au printemps. Décris ce que tu as fait. Explique pourquoi ton résultat est près ou non de la probabilité théorique.

Fais une simulation pour déterminer la probabilité expérimentale que la date d'anniversaire de trois personnes choisies au hasard soit au printemps. Décris ta simulation. Quel résultat est plus près de la probabilité théorique : le résultat de la simulation ou la probabilité expérimentale que tu as déterminée ?

1. En 163 présences au bâton, Rissa a frappé 49 coups sûrs. En 229 présences au bâton, Julie a frappé 74 coups sûrs. Quelle joueuse a la plus grande probabilité expérimentale de frapper un coup sûr à sa prochaine présence au bâton? Explique.

2. Une œuvre de bienfaisance vend 10 000 billets de loterie au coût de 10 $ chacun. Le premier prix est d'une valeur de 2 000 $. Le deuxième prix est d'une valeur de 1 000 $. Cinq troisièmes prix ont une valeur de 500 $ chacun.

   a) Quelle est la probabilité théorique de gagner le prix de 2 000 $ si tu achètes un billet? Exprime ta réponse sous forme d'un nombre décimal.

   b) Quelle est la probabilité théorique de gagner le prix de 1 000 $ si tu achètes un billet? Exprime ta réponse sous forme d'un nombre décimal.

   c) Quelle est la probabilité théorique de gagner un prix de 500 $ si tu achètes un billet? Exprime ta réponse sous forme d'un nombre décimal.

   d) Quels sont les risques et les profits liés à l'achat d'un billet?

   e) Achèterais-tu un billet? Explique.

3. Pierre doit décider s'il investira une certaine partie de ses revenus dans des Certificats de placements garantis, dans des fonds communs de placement ou dans des actions de premier ordre.

   a) Quelles probabilités voudrais-tu connaître pour l'aider à prendre une décision?

   b) Quels sont les risques et les profits associés?

   c) Quelle décision prendrais-tu? Pourquoi?

4. Diane a fait une demande pour fréquenter une école qui choisit ses élèves de façon aléatoire. Elle est l'une des 160 élèves qui ont fait une demande pour 17 places disponibles. Quelle est la probabilité théorique que Diane soit choisie?

5. Une compétition attire 7 548 participantes et participants, dont 2 173 gagneront un prix. Quelle est la probabilité théorique de gagner un prix? Exprime la probabilité sous forme d'une fraction, d'un nombre décimal et d'un pourcentage.

6. Une compagnie fait une campagne publicitaire à travers toute la ville. Elle annonce que 3 % des participantes et des participants à la compétition vont gagner un prix. Si 12 694 personnes participent à la compétition, combien de personnes gagneront un prix ?

7. Selon toi, si tu lances une pièce de monnaie 60 fois, combien de fois obtiendras-tu le côté face ? Explique.

8. a) Prédis la probabilité théorique de lancer trois pièces de monnaie et d'obtenir un seul côté face.
   b) Lance trois pièces de monnaie 50 fois. Écris les résultats. Détermine la probabilité expérimentale d'obtenir une seule fois le côté face si tu lances trois pièces de monnaie.
   c) Regroupe tes résultats de la partie b) avec ceux de tes camarades de classe.
   d) Pour déterminer la probabilité théorique d'obtenir une seule fois le côté face si tu lances trois pièces de monnaie, tu peux remplir un diagramme en arbre comme celui ci-dessous. Reproduis ce diagramme en arbre et remplis-le. Compare les résultats avec ta prédiction de la partie a).

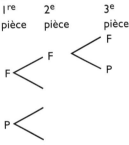

   e) Quelle probabilité expérimentale est plus près de la probabilité théorique : celle de la partie b) ou celle de la partie c) ?

9. Une marque de céréales très populaire auprès des enfants offre un autocollant dans chaque boîte. Il y a quatre autocollants différents. La probabilité d'obtenir un autocollant est la même pour tous les autocollants.
   a) Fais une simulation pour déterminer chacune des probabilités suivantes :
      • acheter quatre boîtes et obtenir quatre autocollants identiques
      • acheter quatre boîtes et obtenir quatre autocollants différents
   b) Quelle est la probabilité expérimentale dans chaque cas ?
   c) Quelle probabilité est la plus grande ?
   d) Regroupe tes résultats de la partie a) avec ceux de tes camarades de classe.
   e) Selon toi, la probabilité théorique d'obtenir quatre autocollants identiques si tu achètes quatre boîtes peut-elle être de 0,015 625 ? Explique.
   f) Selon toi, la probabilité théorique d'obtenir quatre autocollants différents si tu achètes quatre boîtes peut-elle être de 0,093 75 ? Explique.

4 La location d'un appartement

Dans ce chapitre, tu vas :
– étudier la disponibilité et le coût d'appartements ;
– déterminer les étapes à suivre pour louer un appartement ;
– décrire les droits et les responsabilités des propriétaires et des locataires ;
– calculer les coûts mensuels liés à la location et à l'entretien d'un appartement.

Vers la fin du chapitre, tu mettras en application tes nouvelles connaissances sur la location d'un appartement.

4.1 — # La disponibilité des logements

Il y a de nombreux types de logements locatifs. On peut louer une maison en rangée, un logement dans une tour d'habitation ou dans un immeuble sans ascenseur, un appartement ou une chambre dans une maison, un logement partagé, une maison unifamiliale, et ainsi de suite.

Fais une recherche •

Si tu étais à la recherche d'un appartement à louer, quelles caractéristiques seraient importantes pour toi ? Combien devrais-tu t'attendre à payer par mois pour louer un appartement dans ta localité ?

Analyse •

1. À l'aide d'Internet, de journaux ou de magazines d'habitation, découvre les types de logements disponibles dans ta localité. Décris certaines des caractéristiques présentées par ces annonces.

Tu peux accéder à des sites Web comportant des annonces de logements à louer par l'intermédiaire du site : www.dlcmcgrawhill.ca.

2. Les annonces d'appartements à louer indiquent des caractéristiques variées.

   a) Une tour d'habitation propose des studios, des appartements à une chambre et des appartements à deux chambres. Quelle est la principale différence entre un studio et un appartement à une chambre ?

   b) Marie croit avoir les moyens de louer un studio qui coûte 510 $ par mois, plus les services publics. Le **locataire** actuel l'informe que les services publics ont coûté environ 1 000 $ l'an dernier. Le locataire actuel est la personne qui loue l'appartement actuellement. Quelle somme mensuelle Marie doit-elle prévoir pour le loyer et les services publics ?

   c) On annonce la location d'une maison en rangée avec « quatre électroménagers ». D'après toi, de quels appareils s'agit-il ?

   d) En général, la câblodistribution n'est pas comprise dans le loyer mensuel. Quel type de logement locatif pourrait comprendre la câblodistribution ?

   e) Quelles autres dépenses ne font pas toujours partie du loyer mensuel ?

> Au coin des rues Mackenzie et King. Studio au rez-de-chaussée pour octobre. 510 $ par mois + services publics. 555-8802

3. Indique des caractéristiques qui rendent efficaces les annonces d'appartements à louer.

Passe à l'action ●

4. Examine chaque annonce. Indique au moins une question que tu aimerais poser à chaque propriétaire. Lui conseillerais-tu de donner plus de renseignements ? Si oui, lesquels ?

   a)
   > Appartement de 4 chambres au centre-ville. 1 000 $ par mois, tout compris. Supplément pour le stationnement. 555-1144

   b)
   > Secteur King et Université. 700 $ par mois + services publics. Stationnement compris. Libre le 1er août. 555-7357

   c)
   > Appartement de 2 chambres au nord-est de Mississauga. 800 $ par mois, tout compris. Stationnement inclus. Libre le 1er septembre.

   d)
   > Une chambre. Au coin des rues Peter et Charles. Grand espace de stationnement. Libre le 1er octobre. 555-0783

   e)
   > Trois chambres près de Bridge et Water. 900 $ par mois. Libre le 1er janvier. 555-3856

   f)
   > Studio, 550 $ par mois, tout inclus. Aucun stationnement. Libre immédiatement. 555-1224

5. Évalue les caractéristiques suivantes en fonction de tes intérêts. Classe chacune des caractéristiques selon les catégories suivantes :
- essentielle
- souhaitable mais pas essentielle
- peu souhaitable
- aucune importance

a) climatisation
b) services publics inclus
c) animaux acceptés
d) lave-vaisselle
e) stationnement souterrain
f) buanderie sur place
g) stationnement couvert
h) nombre de chambres
i) stationnement extérieur
j) date de disponibilité
k) piscine extérieure
l) magasins à proximité
m) piscine intérieure
n) parc à proximité
o) salle d'exercice
p) sentiers de promenade à proximité
q) école primaire à proximité
r) environnement sans fumée
s) école secondaire à proximité
t) au rez-de-chaussée
u) collège ou université à proximité
v) enfants permis
w) transports en commun à proximité
x) proximité du lieu de travail
y) autre caractéristique
z) autre caractéristique

FA **6.** Supposons que tu disposes de 800 $ par mois pour ton loyer. À l'aide d'Internet, de journaux ou de magazines d'habitation, trouve des annonces d'appartements à louer dans ta localité ou dans les environs.

a) Trouve cinq appartements que tu pourrais louer.
b) Indique le loyer demandé pour chaque appartement.
c) Dresse la liste des caractéristiques de chaque appartement.
d) Trouve une question que tu aimerais poser au sujet de chaque appartement.
e) Choisis l'appartement qui t'intéresse le plus. Explique ton choix.

7. Dans Internet ou par une autre source, trouve deux appartements qui ont les mêmes caractéristiques mais qui sont dans deux régions différentes de l'Ontario. Compare les loyers. Essaie d'expliquer pourquoi ces montants sont semblables ou différents.

La location d'un logement

Fais une recherche •

Réponds à ce jeu-questionnaire sur la location d'un logement.

Aux questions 1 à 3, choisis la bonne réponse.

1. Quelle est la durée du préavis que les propriétaires doivent donner aux locataires avant d'augmenter leur loyer ?

   a) 30 jours   **b)** 60 jours   **c)** 90 jours   **d)** 6 mois   **e)** 12 mois

2. Combien de temps doit-il s'écouler entre le jour où les locataires emménagent ou la date de la dernière augmentation et la date à laquelle le loyer peut être augmenté de nouveau ?

   a) 1 mois   **b)** 3 mois   **c)** 6 mois   **d)** 9 mois   **e)** 12 mois

3. De combien de temps disposent les locataires après avoir signé une convention d'augmentation du loyer pour changer d'idée et faire savoir à leur propriétaire qu'ils ne sont pas d'accord avec l'augmentation ?

   a) 5 jours   **b)** 10 jours   **c)** 15 jours   **d)** 30 jours   **e)** 60 jours

Aux questions 4 à 12, réponds par vrai ou par faux.

4. Il n'y a aucune limite quant à l'augmentation du loyer qui s'applique en raison d'une hausse des impôts municipaux ou des services publics.

5. Les locataires ne peuvent pas présenter de requête au Tribunal du logement de l'Ontario pour obtenir une ordonnance de réduction de leur loyer.

6. Les propriétaires peuvent réclamer un paiement pour le traitement et l'examen des demandes de location.

7. Les propriétaires doivent fournir aux locataires qui le demandent un reçu pour tout paiement de loyer, dépôt de garantie ou autres frais que ceux-ci ont versés ou payés.

8. Les propriétaires peuvent exiger un paiement en échange des reçus émis.

9. Les chèques de loyer acheminés par la poste doivent parvenir aux propriétaires au plus tard à la date d'échéance du loyer.

10. Les locataires risquent de se faire évincer s'ils retiennent une partie de leur loyer sous prétexte que leur logement ou leur immeuble est mal entretenu ou que des réparations indispensables n'ont pas été faites.

11. Tous les cinq ans, le gouvernement de l'Ontario fixe le taux légal d'augmentation des loyers.

12. Les propriétaires et les locataires de logements à but non lucratif, de logements publics, de logements subventionnés ou de logements qu'un collège ou une université fournit à ses élèves ne sont pas soumis aux mêmes règles relatives au loyer.

Analyse ●

1. Va dans Internet et consulte le site Web du Tribunal du logement de l'Ontario ou trouve des dépliants du Tribunal du logement de l'Ontario pour vérifier tes réponses au jeu-questionnaire sur la location de logements. Est-ce que certaines des réponses t'étonnent?

Tu peux accéder au site Web du Tribunal du logement de l'Ontario par l'intermédiaire du site : www.dlcmcgrawhill.ca.

Passe à l'action ●

2. Lorsqu'une ou un propriétaire loue un appartement à une personne, elle ou il donne à cette personne une **location** ou un droit légal de vivre dans l'unité locative. Un **contrat de location** lie le propriétaire et le locataire. Ce contrat peut être écrit ou non. Un contrat de location écrit est souvent appelé **bail.** Lorsqu'une date de début et une date de fin sont précisées dans un contrat de location, la location a un **terme fixe.**

   a) Qu'entend-on par un bail d'un an?
   b) Que signifie une location au mois?
   c) On peut payer le loyer à la semaine, à la quinzaine ou au mois. Détermine le loyer annuel pour chacun des logements suivants.
      I)   825 $ par mois
      II) 190 $ par semaine
      III) 400 $ par quinzaine
   d) Les trois logements en c) sont identiques et ont les mêmes caractéristiques. Pourquoi une personne voudrait-elle louer le logement le plus cher?

3. **Vérifie tes compétences** Calcule la valeur de chaque pourcentage et arrondis au cent (¢).

   a) 2,5 % d'un loyer mensuel de 1 100 $
   b) 3,4 % d'un loyer mensuel de 800 $
   c) 2,9 % d'un loyer mensuel de 750 $
   d) 2,8 % d'un loyer mensuel de 675 $
   e) 3,1 % d'un loyer mensuel de 1 100 $
   f) 3,7 % d'un loyer mensuel de 820 $

4. Chaque année, le gouvernement de l'Ontario fixe un taux légal d'augmentation des loyers.

Année	Taux d'augmentation (%)
2000	2,6
2001	2,9
2002	3,9
2003	2,9

a) Benjamin habite dans son logement depuis un an quand son bail arrive à expiration le 31 juillet 2003. Son loyer est fixé à 700 $ par mois. Quel montant maximal peut-on lui demander pour son logement l'année suivante ?

b) Barbara habite dans son logement depuis deux ans et paie 850 $ par mois. Son bail prend fin le 1er février 2002. Quel montant maximal peut-on lui demander pour son logement l'année suivante ?

5. Les propriétaires peuvent présenter une requête au Tribunal du logement de l'Ontario pour obtenir une ordonnance permettant d'augmenter le loyer d'un pourcentage supérieur au taux légal dans les cas suivants :
• ils ont fait des rénovations ou des réparations majeures,
• ils ont ajouté des services de sécurité au logement.

L'augmentation du loyer justifiée par des réparations, des rénovations ou l'ajout de services de sécurité ne peut pas dépasser 4 % du loyer en plus du taux d'augmentation maximal fixé par le gouvernement.

a) Hélène paie son loyer 685 $ par mois. Ce montant augmente de 2,9 %, soit le taux maximal établi par le gouvernement, et de 4 % en raison de l'ajout de services de sécurité. On calcule les deux augmentations à partir du loyer mensuel d'origine. Quel est le nouveau loyer mensuel d'Hélène ?

b) Le loyer mensuel de Christian passe de 700 $ à 735 $ en raison de rénovations. Quel est le taux d'augmentation du loyer ? Cette augmentation est-elle légale ?

6. Les propriétaires peuvent demander aux nouveaux locataires de verser un dépôt de garantie. Ce dépôt ne doit pas dépasser un mois de loyer ou, dans le cas d'une location à la semaine, une semaine de loyer. Le dépôt de garantie ne peut servir qu'à couvrir le loyer pour le dernier mois ou la dernière semaine de location, selon le cas. Les propriétaires ne peuvent pas utiliser le dépôt pour autre chose, par exemple pour récupérer des dépenses de nettoyage ou de réparation du logement.

Rémi vit à Ingersoll. Il trouve un emploi à London et désire déménager. Il loue un appartement 800 $ par mois. La propriétaire lui demande de verser un dépôt de garantie équivalant au montant total permis par la loi.

a) Combien Rémi doit-il verser pour le dépôt de garantie ?
b) À la fin de la première année de location, le loyer de Rémi augmente de 3,9 %. À combien s'élève le nouveau loyer de Rémi ?
c) À la fin de la première année de location, la propriétaire demande à Rémi d'ajuster son dépôt de garantie en fonction du nouveau loyer. Combien Rémi doit-il verser à la propriétaire ?
d) Chaque année, les propriétaires doivent verser aux locataires 6 % d'intérêt sur le dépôt de garantie. Quel montant en intérêt la propriétaire de Rémi doit-elle lui verser à la fin de la première année de location ?

7. Véronique déménage à Waterloo. Elle trouve un appartement à 680 $ par mois. Le propriétaire peut lui demander de verser le premier et le dernier mois de loyer d'ici à la date de son emménagement.

   a) Qu'entend-on par « le premier et le dernier mois de loyer » ?

   b) Pourquoi le propriétaire exige-t-il le premier et le dernier mois de loyer ?

   c) Quel montant en intérêt sur le dépôt de garantie, au taux de 6 %, le propriétaire doit-il payer à Véronique à la fin de la première année de location ?

   d) À la fin de la première année de location, le loyer de Véronique augmente de 2,9 %. À combien s'élève le nouveau loyer ?

   e) À la fin de la première année de location, le propriétaire demande à Véronique d'ajuster son dépôt de garantie selon le nouveau loyer. Combien doit-elle verser à son propriétaire ?

8. Coralie loue un appartement à North Bay. Elle a l'occasion de travailler au Japon pendant six mois. Sa propriétaire lui donne la permission de **sous-louer** son logement. En d'autres mots, une autre personne peut habiter l'appartement de Coralie jusqu'à son retour. Le nom de Coralie est toujours sur le bail. Son amie Stéphanie sous-loue l'appartement pendant une période de six mois.

   a) Coralie doit-elle continuer de payer un loyer à la propriétaire de North Bay ?

   b) À qui Stéphanie paie-t-elle son loyer ?

   c) Qui est responsable de l'appartement ?

9. Jérémy loue un logement à Sarnia. Il est muté à Niagara Falls, mais son bail n'expire que dans sept mois. Son propriétaire accepte qu'il transfère le bail à son ami Tristan. Ainsi, c'est le nom de Tristan qui paraît sur le nouveau bail. Cette opération est une **cession de bail.**

   a) Est-ce que Jérémy continue de payer un loyer au propriétaire de Sarnia ?

   b) À qui Tristan paie-t-il son loyer ?

   c) Qui est responsable de l'appartement ?

4.3 Les droits et les responsabilités des propriétaires et des locataires

Dans la section précédente, tu as vu les étapes à suivre lors de la location d'un logement ainsi que les droits des locataires et des propriétaires en ce qui concerne le loyer. Cette section va te permettre de découvrir d'autres aspects de la location.

Fais une recherche •••

Réponds à ce jeu-questionnaire sur les **responsabilités d'entretien** des locataires et des propriétaires.

Réponds par vrai ou par faux.

1. Les locataires doivent maintenir leur logement dans un état de propreté raisonnable.

2. Les locataires sont responsables des dégâts qu'ils causent à la propriété, peu importe que ces dégâts soient le résultat d'un acte délibéré ou d'un accident.

3. Les locataires risquent de se faire évincer s'ils gardent un animal agressif envers les autres locataires.

4. Les locataires ne sont pas responsables des dégâts causés à la propriété par leurs invités, que ces dégâts soient le résultat d'un acte délibéré ou d'un accident.

5. Les locataires sont responsables des dégâts causés à la propriété par la personne qui sous-loue leur appartement ou les invités de cette personne.

6. Si l'usure normale fait que quelque chose ne fonctionne plus, les propriétaires doivent remettre la chose en état de sorte qu'elle fonctionne comme avant ou bien la remplacer.

7. Les locataires risquent de se faire évincer s'ils retiennent leur loyer, même s'ils agissent sous prétexte que leur logement ou leur immeuble est mal entretenu ou que des réparations indispensables n'ont pas été faites.

8. Les locataires peuvent présenter une requête au Tribunal en vue d'obtenir une réduction de leur loyer (c'est-à-dire l'autorisation de retenir une partie de leur loyer) si les propriétaires ne satisfont pas à leurs obligations en matière d'entretien et de réparations. À la suite d'une pareille requête, le Tribunal peut rendre une ordonnance indiquant aux locataires le montant qu'ils peuvent retenir sur leur loyer et la façon de procéder.

9. Les propriétaires doivent respecter les normes d'hygiène, de sécurité et d'entretien prévues dans toute loi provinciale ou dans tout règlement municipal.

10. Si les locataires prennent du retard dans le paiement de leur loyer, les propriétaires peuvent interrompre ou réduire les services d'électricité, de chauffage ou d'eau.

Réponds à ce jeu-questionnaire sur les droits à la **vie privée**.

Pour chacune des situations suivantes, détermine les conditions dans lesquelles les propriétaires peuvent entrer dans un logement. Sers-toi des codes suivants.
A : **En tout temps sans préavis écrit.**
B : **Entre 8 h et 20 h, sans préavis écrit.**
C : **Entre 8 h et 20 h, avec un préavis écrit de 24 heures.**

1. En cas d'urgence, par exemple lors d'un incendie.

2. Si la convention de location exige que la ou le propriétaire nettoie le logement à intervalles réguliers, à moins que la convention ne précise des heures de nettoyage différentes.

3. Pour effectuer des réparations ou d'autres travaux dans le logement.

4. Si les propriétaires et les locataires ont convenu que la location sera résiliée ou si l'une des deux parties a donné un avis de résiliation à l'autre, et que les propriétaires veulent montrer le logement à des locataires éventuels.

5. Pour permettre à une créancière ou un créancier hypothécaire éventuel, ou encore à une personne intéressée à acheter ou à assurer le logement de l'examiner.

6. S'ils obtiennent le consentement des locataires au moment d'entrer.

7. Pour permettre une inspection du logement par des ingénieures et des ingénieurs, des architectes ou d'autres personnes compétentes pour satisfaire à une exigence de la Loi sur les condominiums.

8. Pour tout motif raisonnable précisé dans la convention de location.

Réponds à ce jeu-questionnaire sur **le renouvellement et la résiliation d'un bail.**

Réponds par vrai ou par faux.

1. Les locataires doivent quitter leur logement à la fin du bail.

2. Les locataires peuvent rester dans leur logement après l'expiration de leur bail sans le renouveler, mais le prix du loyer peut être augmenté.

3. Si les locataires restent dans leur logement après l'expiration de leur bail sans le renouveler, les termes du bail restent les mêmes pour eux et pour les propriétaires. Cependant la location n'est plus à terme fixe, et le coût du loyer peut augmenter.

4. Les locataires et les propriétaires peuvent s'entendre pour mettre fin à la location avant l'expiration du bail sans entente écrite.

5. Les locataires dont la location est à la journée ou à la semaine doivent donner un avis de résiliation à leur propriétaire au moins 28 jours avant la date de résiliation.

6. Les locataires dont la location est au mois doivent donner un avis de résiliation au moins 60 jours avant la date de résiliation.

7. Les locataires dont la location est au mois ne sont pas tenus d'avoir une date de résiliation à la fin du mois.

8. Les locataires qui ont un bail d'un an peuvent avoir une date de résiliation qui précède la date d'expiration du bail.

9. Les propriétaires peuvent donner un avis de résiliation aux locataires s'ils veulent occuper le logement eux-mêmes.

10. Les locataires doivent donner seulement 10 jours d'avis pour résilier un bail si les propriétaires ont déjà donné un avis de résiliation de location en raison d'importants travaux de rénovation dans le logement.

Analyse

1. Va dans Internet et consulte le site Web du Tribunal du logement de l'Ontario, ou trouve des dépliants du Tribunal du logement de l'Ontario pour vérifier tes réponses aux jeux-questionnaires précédents.
Y a-t-il des réponses qui t'étonnent?

Tu peux accéder au site Web du Tribunal du logement de l'Ontario par l'intermédiaire du site : www.dlcmcgrawhill.ca.

Passe à l'action ●

Quand un locataire à la semaine décide de quitter le logement, la date de résiliation doit être le dernier jour d'une semaine officielle de location. Il est recommandé de donner un préavis de quatre semaines officielles de loyer, qui équivalent à au moins 28 jours.

Quand un locataire au mois décide de quitter le logement, la date de résiliation doit être le dernier jour d'une semaine officielle de location. Il est recommandé de donner un préavis de deux mois officiels de loyer, qui équivalent à au moins 60 jours.

Quand un locataire à terme fixe décide de quitter le logement, la date de résiliation doit être la date d'expiration de son bail.

Pour les questions 2 et 3, choisis la bonne réponse.

2. Jacob a un loyer à la semaine. Il a signé un bail d'un an. Lorsque le bail expire, il ne renouvelle pas son bail et ne signe pas de nouveau bail. À quelle fréquence devra-t-il payer son loyer après la date d'expiration du bail ?

   a) à la semaine   **b)** au mois
   c) à la semaine pendant un an   **d)** au mois pendant un an

3. Zachary a un loyer à la semaine qu'il paie tous les vendredis pour couvrir la période allant jusqu'au jeudi suivant. Le jeudi 15 mars, il présente un avis de résiliation. Quelle peut être la date de résiliation la plus proche ?

   a) le lundi 19 avril   **b)** le jeudi 12 avril
   c) le lundi 14 mai   **d)** le jeudi 17 mai

4. Justine a un loyer dont le bail n'est pas à terme fixe. Elle paie son loyer le premier de chaque mois pour couvrir la durée du mois. Le 31 juillet, elle soumet un avis de résiliation. Quelle peut être la date de résiliation la plus proche ?

5. William a un bail d'un an qui prend fin le 31 août. Il ne veut pas renouveler son bail et prévoit quitter son logement le 31 août. Quelle est la date limite pour donner son avis ?

6. Sabrina a un loyer au mois. Le 15 mars, son propriétaire lui donne un avis écrit. Elle devra quitter son logement d'ici le 1er septembre, car le propriétaire veut emménager lui-même dans le logement.

   Sabrina a entendu parler d'un beau logement libre immédiatement. Elle décide donc de libérer son logement actuel aussitôt que possible. Si elle soumet l'avis de résiliation le 16 mars, quelle peut être la date de résiliation la plus proche ?

7. Les propriétaires peuvent résilier une location uniquement pour les raisons permises par la Loi sur la protection des locataires. Les propriétaires doivent donner aux locataires un avis de résiliation de la location.

   a) Fais une recherche et énumère cinq motifs d'éviction liés au comportement des locataires ou de leurs invités.
   b) Fais une recherche et énumère cinq motifs d'éviction des locataires mettant en cause la présence d'un animal de compagnie.
   c) Fais une recherche et énumère quatre motifs d'éviction qui n'ont rien à voir avec le comportement des locataires. C'est ce qu'on appelle la résiliation « sans faute ».

4.4 Gros plan sur...
les concierges d'immeuble

Jean est concierge d'une tour d'habitation. L'immeuble compte 11 étages et chaque étage comprend 14 appartements. En effet, sur chaque étage il y a deux petits logements à une chambre, quatre grands logements à deux chambres, quatre petits logements à deux chambres et quatre grands logements à une chambre.

Jean est responsable du nettoyage des aires communes de l'immeuble et de l'entretien de la piscine extérieure. Il répare les appareils ménagers, la plomberie et l'équipement électrique. Il fait du dépannage, c'est-à-dire qu'il essaie de repérer et de résoudre les problèmes mineurs afin de prévenir les réparations coûteuses. Il doit respecter un certain budget lorsqu'il engage quelqu'un pour effectuer les réparations importantes.

1. Conçois un horaire pour une journée d'été où Jean doit faire visiter des appartements à des locataires éventuels à 11 h 30, à 15 h et à 16 h. Il doit aussi sortir les ordures et le recyclage. Enfin, il doit s'assurer d'ouvrir la piscine de l'immeuble pour les locataires de 11 h à 21 h.

2. Jean gagne un salaire annuel de 30 000 $. De plus, il n'a pas de loyer à payer pour le logement où il habite, dont la valeur marchande est établie à 860 $ par mois. Si Jean travaillait ailleurs, à combien s'élèverait un « revenu mensuel » équivalent ?

3. Voici le loyer associé à chaque logement en fonction de leur taille et du nombre de chambres :
   - petit logement à une chambre, 650 $
   - grand logement à une chambre, 700 $
   - petit logement à deux chambres, 800 $
   - grand logement à deux chambres, 860 $

   Rappelle-toi que Jean occupe un de ces logements. Combien d'argent doit-il recueillir en loyer chaque mois lorsque tous les logements sont occupés ?

4.
> **Urgent ! Recherchons concierge d'immeuble pour grande tour d'habitation. Une expérience antérieure en tant que concierge est un atout. La personne choisie devra effectuer des réparations mineures sur la plomberie et les appareils ménagers, s'occuper des nouvelles locations et de l'entretien complet de l'immeuble. Si vous possédez beaucoup d'entregent et aimez travailler avec les personnes âgées, ce poste est pour vous ! Nous offrons un appartement en plus du salaire. Télécopiez votre CV au 555-3627.**

Quelles démarches pourrais-tu entreprendre au cours des prochaines années pour te préparer à un emploi comme celui-ci ?

Les coûts mensuels liés à la location et à l'entretien d'un appartement

Fais une recherche ●

En plus de payer le loyer de leur appartement, la plupart des locataires font les trois dépenses suivantes :
• le téléphone,
• la câblodistribution,
• les assurances.

Pour chacune de ces dépenses, découvre le prix du plan de base, des options additionnelles et des forfaits, s'il y a lieu, dans ta localité.

Analyse ●

La plupart des locataires savent qu'ils devront régler leurs propres factures de téléphone et de câblodistribution. Cependant, certaines personnes ignorent que les assurances des propriétaires ne couvrent que l'immeuble et non les biens des locataires. Les locataires doivent avoir leur propre assurance pour se protéger contre la perte de leurs biens en cas de feu, de vol, de vandalisme et ainsi de suite.

1. **Vérifie tes compétences** La taxe de vente provinciale (TVP) s'applique sur certaines primes d'assurance. Une prime d'assurance est le montant qu'une personne paie pour la couverture des risques. Cette taxe s'applique en fonction du type d'assurance achetée. Calcule le prix de chaque police, TVP comprise. Arrondis tes réponses au cent (¢).

   a) 18 $ par mois   **b)** 215 $ par année
   c) 196 $ par année   **d)** 178 $ par année
   e) 16,80 $ par mois   **f)** 206 $ par année

2. Natacha estime la valeur des biens de son appartement à 20 000 $. Sa prime d'assurance lui coûte 162 $ par année. Combien d'argent doit-elle prévoir par mois pour payer la prime d'assurance, taxe comprise, pour la protection de ses biens ?

3. Les compagnies d'assurances conseillent de photographier ou de filmer vos biens et de conserver ce film ou ces photos avec un inventaire de vos possessions dans un endroit sécuritaire (par exemple, un coffret de sûreté). Pourquoi, selon toi ?

4. En général, les primes d'assurance comprennent une assurance responsabilité civile. Si quelqu'un se blesse dans ton appartement, on pourrait te tenir responsable et te poursuivre. De même, en cas de négligence de ta part, on pourrait te poursuivre pour les dégâts causés à l'immeuble ou aux biens des autres locataires. L'assurance responsabilité civile te protège de ces coûts. Le montant habituel assuré en responsabilité civile est de 1 000 000 $.

a) Qu'entend-on par une assurance responsabilité civile de 1 000 000 $?

b) Les polices d'assurance comportent une franchise. C'est un montant que tu dois débourser à chaque incident. Selon toi, quelle prime devrait coûter plus cher : la prime d'une police dont la franchise est de 300 $ ou la prime d'une police dont la franchise est de 500 $? Pourquoi ?

Passe à l'action •

5. Cécilia et son mari estiment la valeur des biens de leur appartement à deux chambres à 60 000 $. Ils devront payer une prime annuelle de 299 $ pour l'assurance des biens meubles et l'assurance responsabilité civile.

a) Quel sera le montant total de l'assurance, avec la TVP de 8 % ?

b) Quelle somme doivent-ils prévoir chaque mois pour l'assurance de leurs biens ?

6. En plus de son loyer, fixé à 695 $ par mois, Félix paie le stationnement, la câblodistribution, le téléphone et l'assurance de ses biens meubles. Il paie en moyenne :

30 $ par mois pour le stationnement
27 $ par mois pour la câblodistribution
45 $ par mois pour le téléphone
35 $ par mois pour l'assurance

a) À combien s'élève le total des dépenses mensuelles de Félix pour la location et l'entretien de son appartement ?

b) On recommande de prendre un loyer qui ne dépasse pas son revenu brut hebdomadaire, c'est-à-dire le revenu pour une semaine avant toute retenue.
Félix gagne 1 500 $ à la quinzaine. Son loyer est-il conforme à la recommandation ?

7. Ève et sa sœur, Mégane, partagent un appartement. Leur budget comprend une partie pour l'hébergement. Cette partie englobe l'ensemble des dépenses liées à la location et à l'entretien de leur appartement.

a) Sers-toi des renseignements suivants pour calculer leurs frais d'hébergement mensuels :

services publics (chauffage, électricité, eau) : 95 $ buanderie : 48 $
téléphone : 35 $ câblodistribution : 39 $
assurance : 30 $ loyer : 725 $

b) Quel doit être leur revenu brut mensuel pour suivre la recommandation formulée à la question 6 b) ? (Suppose que 4 semaines = 1 mois.)

8. André est gardien de sécurité. Il possède une voiture et loue un appartement. Voici ses factures d'assurance, de téléphone et de câblodistribution.

Assurance

——————— • Protection des locataires • ———————	Montant	Prime
Biens meubles	40 000	182,00 $
Responsabilité civile (par sinistre)	1 000 000	10,00
Remboursement volontaire des frais médicaux (par personne)	5 000	inclus
Règlement volontaire des dommages matériels (par sinistre)	500	inclus
Cartes de crédit ou de débit et contrefaçon	5 000	inclus
Bijoux et fourrures	2 000	inclus
Argenterie et or	5 000	inclus
Ordinateur personnel	5 000	inclus

Prime annuelle
TVP
Total
Franchise **500 $**

Téléphone

Services mensuels	**41,16 $**
Location d'équipement.	**0,00**
Communications facturées.	**11,59**
Total partiel	
TPS	
TVP	
Total du mois courant . . .	

Câblodistribution

Services mensuels : Télévision par câble	**43,29 $**
Internet	**39,95**
Réduction	**– 4,00**
Total partiel	
TPS	
TVP	
Total du mois courant	

a) Calcule le total avec taxes de chaque facture.
b) Quelle est la prime mensuelle d'André pour sa police d'assurance ?
c) Quel est le coût total des assurances, du téléphone et des services par câble ce mois-ci ?
d) André présente une demande d'indemnisation pour des dommages à sa propriété évalués à 2 000 $. Quelle somme environ sa compagnie d'assurances lui remettra-t-elle ?

4.6 — Tour d'horizon : La location d'un appartement

GÉ Tu viens de trouver un emploi dans ta localité et tu prévois emménager dans un nouveau logement. Tu n'as pas décidé si tu vas habiter seul ou si tu vas partager ton appartement avec une autre personne. Ton nouveau salaire s'élève à 24 000 $ par année. Applique ce que tu as appris dans ce chapitre pour faire les tâches suivantes.

- Décris ce que tu feras pour trouver un appartement.
- Fais la liste des caractéristiques que tu recherches et indique le loyer que tu as les moyens de payer si tu habites seul ou si tu partages ton appartement.
- Trouve un appartement à louer. Indique les caractéristiques de ce logement et si tu le partageras ou non.
- Détermine les autres dépenses liées à la location de ton appartement. Évalue le coût rattaché à chacune de ces dépenses.
- Rédige une liste de tes principales responsabilités en tant que locataire.
- Dresse une liste des principales responsabilités attribuées à ta ou à ton propriétaire.

4.7 — Résumé

1. Examine l'annonce suivante pour un appartement à louer dans une tour d'habitation.

> Grand appartement à deux chambres. 900 $ par mois + services publics. Stationnement compris. Piscine et buanderie. Bien situé, près des avenues des Érables et des Chênes. Libre le 1er novembre. 555-0386

a) Rédige deux questions que tu aimerais poser au propriétaire pour obtenir plus de renseignements sur l'appartement.

b) Si les services publics coûtent 85 $ par mois, quel est le coût mensuel total comprenant le loyer, les services publics et le stationnement ?

c) Le propriétaire te demande de signer un bail d'un an. Quelle est la date limite à laquelle tu peux présenter un avis de résiliation qui prendra effet le 31 octobre de l'année suivante ?

d) Quel est le montant maximal du dépôt de garantie qui peut être exigé ?

e) Tu décides de ne pas résilier la location et de renouveler ton bail. Le loyer augmente de 2,9 %. Quel est ton nouveau loyer mensuel ?

f) Le loyer passe à 975 $ par mois, car l'appartement a subi des travaux de rénovation. Cette augmentation est-elle conforme au taux légal de 2,9 % plus le taux légal de 4 % applicable aux rénovations ?

2. Énumère trois dépenses mensuelles liées à la location ou à l'entretien du logement, autres que le loyer.

3. Pourquoi est-il préférable de contracter une assurance responsabilité civile ?

4. Nomme trois moyens pour trouver des renseignements sur les appartements à louer dans ta région.

5. a) Quelle devrait être la valeur maximale de ton loyer par rapport à ton revenu?
   b) Une personne gagne 32 000 $ par année. Quelle somme devrait-elle prévoir pour son loyer?
   c) Quel devrait être le revenu annuel combiné d'un couple qui loue un appartement 1 140 $ par mois?

6. Associe les termes suivants à la définition correspondante:

sans ascenseur   services publics   studio   avis de résiliation
bail   dépôt de garantie   sous-location   cession du bail
éviction   franchise   date de résiliation assurance des biens meubles
Tribunal du logement de l'Ontario

   a) Transfert de bail à une autre personne qui devient locataire du logement.
   b) Montant qui sera déduit de toute demande d'indemnisation.
   c) Date à laquelle les locataires doivent avoir quitté leur logement.
   d) Appartement dans un immeuble qui n'a pas d'ascenseur.
   e) Procédure par laquelle une ou un locataire loue son logement à une autre personne.
   f) Protection contre la perte de tes biens en cas de vol, de feu ou de vandalisme.
   g) Appartement sans chambre.
   h) Chauffage, électricité et eau.
   i) Convention écrite de location.
   j) Somme pouvant équivaloir jusqu'à un mois de loyer.
   k) Obligation de quitter son logement.
   l) Entente signée indiquant que les locataires quitteront leur logement.
   m) Agence auprès de laquelle les locataires et les propriétaires peuvent présenter une requête afin de résoudre un problème ou se renseigner sur les droits et les obligations se rattachant à la Loi sur la protection des locataires.

7. Maude place l'annonce suivante afin de louer un logement dans sa maison.

> **Studio au sous-sol. 480 $, comprenant services publics et câblodistribution. Lavage en surplus. Stationnement dans la rue avec permis.**

Maude veut fournir tous les renseignements concernant les coûts liés à la location du logement. Elle évalue les montants suivants.

loyer: 480 $ par mois
services publics: compris
câblodistribution: service de base compris
lavage: 20 $ par mois pour l'utilisation des appareils de buanderie de Maude
assurance des biens meubles: 25 $ par mois
permis de stationnement: 30 $ par mois
téléphone: 30 $ par mois pour le service de base

   a) Calcule la somme des dépenses estimées.
   b) Sur cette liste, quelles sont les dépenses qui pourraient varier de façon importante en fonction des habitudes de vie des locataires?

5

L'achat d'une maison

MILLENNIUM 2000
À vendre
555-2020

NIUM
À vendr
555-2020

Alice Côté

Dans ce chapitre, tu vas :
– faire des recherches pour
  déterminer la disponibilité et
  le prix de maisons dans
  ta localité ;
– décrire les étapes et les coûts
  liés à l'achat d'une maison ;
– calculer les coûts mensuels
  pour entretenir une maison.

Vers la fin du chapitre,
tu vas décrire les étapes et
les coûts liés à l'achat et à
l'entretien d'une maison selon
un revenu annuel donné.

5.1 La recherche d'une maison

Beaucoup de Canadiennes et de Canadiens rêvent du jour où ils posséderont leur propre maison. L'achat d'une maison est sans aucun doute la plus importante décision d'achat que la plupart des gens prennent dans toute leur vie.

Fais une recherche

Pense à ta localité et aux localités environnantes :
- Quels types ou styles de maisons y vend-on (par exemple, maisons unifamiliales, maisons en rangée) ?
- Quels sont les lotissements ou les quartiers existants ?
- Quelles caractéristiques les gens cherchent-ils dans une maison ?

Analyse

On peut classer les maisons de plusieurs façons. Un classement de base consiste à déterminer si la maison est **neuve** ou **en revente.**

Note qu'une **copropriété** est un type de droit de propriété et non un style de maison. On peut avoir la copropriété d'une maison en rangée ou encore d'un appartement dans un immeuble bas ou une tour d'habitation. Les copropriétaires doivent payer des frais de copropriété mensuels pour les assurances, la réparation, l'entretien et le remplacement des éléments en commun : les jardins, les voies d'accès à la propriété, les toits, les corridors et les halls.

FA **1.** À l'aide d'Internet, de journaux locaux ou de magazines sur l'immobilier, fais une recherche sur les maisons à vendre dans ta localité et dans les localités environnantes.

a) Trouve cinq maisons ou plus pour chacune des catégories suivantes. Tu peux inclure la même maison dans plus d'une catégorie :

- neuve
- de moins de 110 000 $
- dans un quartier précis
- unifamiliale
- en revente
- entre 110 000 $ et 200 000 $
- dans un autre quartier
- jumelée ou duplex
- de plus de 200 000 $
- dans un troisième quartier
- en rangée

b) Pour chacune des catégories, détermine :

- le prix demandé
- l'adresse/le quartier
- s'il s'agit d'une maison neuve ou d'une revente
- les caractéristiques annoncées
- le type ou le style

Pour accéder à des sites Web sur l'immobilier et les maisons à vendre, rends-toi à l'adresse suivante : www.dlcmcgrawhill.ca.

2. Examine tes listes de l'exercice 1. Est-ce que certaines tendances sont évidentes ? Les questions suivantes pourraient t'aider.
Est-ce que les maisons neuves ont des caractéristiques différentes des maisons en revente ?
Est-ce que les maisons de moins de 110 000 $ ont des caractéristiques différentes des maisons de plus de 200 000 $?
Est-ce que les maisons unifamiliales coûtent plus cher que les maisons en rangée ?
Est-ce que les maisons dans un quartier coûtent plus cher que celles dans un autre quartier ?

3. Décris une maison représentative que tu pourrais acheter dans ta localité ou dans une localité environnante pour chacun des prix de vente :

a) 130 000 $ **b)** 200 000 $ **c)** 280 000 $

Passe à l'action •••••••••••••••••••••••••••••••••

4. Utilise les annonces que tu as vues et tes connaissances en immobilier pour répondre aux questions suivantes.

a) Quels sont les avantages liés à l'achat d'une maison neuve ? Quels sont les avantages liés à l'achat d'une maison en revente ?

b) Quels sont les avantages et les inconvénients de la copropriété ?

c) Quelles caractéristiques distinguent chaque type ou style de maison ?

- maison unifamiliale
- maison en rangée
- maison jumelée
- maison mobile
- duplex

5. « L'emplacement, l'emplacement et l'emplacement » sont les trois plus importantes raisons qui incitent quelqu'un à acheter une maison. Selon toi, que veut dire cet énoncé ? Est-ce que les exercices de la partie **Analyse** peuvent expliquer cet énoncé ?

5.2 — L'achat d'une maison

La plupart des gens doivent emprunter de l'argent pour payer une maison, en particulier à l'achat d'une première maison.

Fais une recherche •

Réponds à ce questionnaire sur l'achat d'une maison.

Choisis les bonnes réponses aux questions 1 à 12. Il y en a habituellement plus d'une.

1. Une **hypothèque** est un emprunt garanti par une propriété immobilière. À l'achat d'une maison, tu pourrais :
   a) prendre une nouvelle hypothèque
   b) assumer une hypothèque existante
   c) demander l'aide d'une vendeuse ou d'un vendeur qui accorde des prêts hypothécaires

2. Une **période d'amortissement** courante, c'est-à-dire la durée sur laquelle s'étale le paiement d'une hypothèque, est de :
   a) 15 ans   b) 20 ans   c) 25 ans

3. Pour réduire le montant des intérêts ou le coût d'emprunt lié à ton hypothèque, tu devrais :
   a) faire un versement initial d'un montant le plus élevé possible
   b) choisir une période d'amortissement plus courte
   c) faire des paiements hebdomadaires ou toutes les deux semaines, plutôt que des paiements mensuels
   d) choisir une hypothèque qui permet les paiements forfaitaires

4. On repaie l'hypothèque par des paiements réguliers appelés versements confondus. Ces paiements incluent :
   a) le capital, ou le montant emprunté   b) les intérêts

5. Lorsque tu trouves une maison que tu désires acheter :
   a) tu signes une offre d'achat préparée par ton agente immobilière ou ton agent immobilier qui, si elle est acceptée par la vendeuse ou le vendeur, devient une convention d'achat-vente
   b) tu paies un acompte de quelques milliers de dollars

6. La convention d'achat-vente a une date de transfert de la propriété qui convient à la personne qui achète et à celle qui vend. Avant cette date, l'avocat ou le notaire de l'acheteuse ou de l'acheteur a pris les arrangements pour l'hypothèque et a recherché les titres, c'est-à-dire la confirmation que la personne qui vend a bien possédé la maison. Le jour du transfert de la propriété :
   a) l'argent est transféré de la personne qui achète à celle qui vend
   b) la personne qui vend remet les clés de la maison à celle qui achète

7. Pour déterminer le montant que tu peux investir dans une maison, il suffit de déterminer les **coûts d'habitation.** Ces coûts ne doivent pas représenter plus de 32 % de ton revenu mensuel brut, ou de ton revenu avant les retenues à la source. Les coûts d'habitation incluent:
   a) l'hypothèque principale   b) les intérêts de l'hypothèque
   c) les impôts fonciers   d) les coûts de chauffage

8. Si le montant d'une hypothèque représente plus de 75 % de la valeur d'une maison, il s'agit:
   a) d'une hypothèque ordinaire   b) d'une hypothèque à proportion élevée

9. D'autres coûts sont associés à une hypothèque en plus des intérêts:
   a) les honoraires d'une courtière ou d'un courtier en hypothèques si on a utilisé ses services pour trouver une institution prêteuse
   b) les primes et les frais de l'assurance du prêt hypothécaire; une assurance est nécessaire si l'hypothèque représente plus de 75 % de la valeur de la maison
   c) des impôts fonciers payés par versements ajoutés aux paiements de l'hypothèque, si elle représente plus de 75 % de la valeur de la maison
   d) des frais d'évaluation pour faire évaluer la valeur de la maison; une évaluation est souvent requise si l'hypothèque n'est pas assurée
   e) des frais d'expertise si l'institution prêteuse exige une expertise et que tu n'en as pas fait la demande à la vendeuse ou au vendeur dans l'offre d'achat
   f) des primes pour l'assurance des biens puisque la maison constitue une garantie pour l'hypothèque

10. Les taxes qui s'appliquent à l'achat d'une maison sont:
   a) la taxe sur les produits et services (TPS) s'il s'agit d'une maison neuve
   b) la taxe sur les produits et services (TPS) s'il s'agit d'une maison en revente
   c) les droits de cession immobilière s'il s'agit d'une maison neuve
   d) les droits de cession immobilière s'il s'agit d'une maison en revente

11. Il y a d'autres coûts liés à l'achat d'une maison, entre autres:
   a) les honoraires de notaire ou d'avocat pour la révision de l'offre d'achat et de la convention d'achat-vente, la rédaction des documents de l'hypothèque, la recherche des titres de la propriété et le règlement des derniers détails
   b) les rajustements des impôts fonciers et des services publics si la vendeuse ou le vendeur a payé au-delà de la date de transfert de la propriété
   c) les frais de déménagement
   d) les frais de branchement aux services publics (le téléphone et l'électricité)

12. Il y a d'autres coûts liés à l'achat d'une maison:
   a) les frais pour l'inspection de la maison si l'inspection a eu lieu avant la signature de l'entente
   b) les réparations et les rénovations, souhaitées ou nécessaires
   c) l'achat d'électroménagers, de meubles, d'habillage de fenêtres, d'outils, et les coûts liés à la décoration intérieure
   d) les frais liés à l'attestation de la qualité et de la quantité de l'eau si la maison a un puits

La Société canadienne d'hypothèques et de logement (SCHL) suggère de suivre les lignes directrices suivantes pour estimer un prix d'achat abordable. Les prix sont basés sur des coûts d'habitation mensuels qui ne représentent pas plus de 32 % du revenu mensuel brut. (Voir la question 7 du Questionnaire sur l'achat d'une maison.)

Revenu annuel brut	Versement initial de 10 %	Prix maximal	Versement initial de 25 %	Prix maximal
25 000 $	5 400 $	54 800 $	16 500 $	66 200 $
30 000 $	7 000 $	70 000 $	21 500 $	86 000 $
35 000 $	8 600 $	86 100 $	26 500 $	105 900 $
40 000 $	10 200 $	102 300 $	31 400 $	125 800 $
45 000 $	11 800 $	118 400 $	36 400 $	145 700 $
50 000 $	13 500 $	134 600 $	41 400 $	165 500 $
60 000 $	16 700 $	166 900 $	51 300 $	205 000 $
70 000 $	20 000 $	199 200 $	61 300 $	245 000 $
80 000 $	23 200 $	231 500 $	71 200 $	284 800 $
90 000 $	26 400 $	263 800 $	81 100 $	324 500 $
100 000 $	29 600 $	296 200 $	91 100 $	364 300 $

1. À deux, Philippe et Jasmine ont un revenu annuel brut de 50 000 $. Ils désirent faire un versement initial de 10 % sur une maison.

   a) Quel est le montant du versement initial qu'ils devront débourser ?

   b) Quel est le montant maximal qu'ils peuvent investir dans l'achat d'une maison ?

   c) Auront-ils besoin d'une assurance sur le prêt hypothécaire ? Explique.

2. **Vérifie tes compétences** Calcule mentalement la valeur de chaque pourcentage.

   a) 10 % de 90 000 $ b) 10 % de 125 000 $ c) 10 % de 182 000 $
   d) 25 % de 90 000 $ e) 25 % de 125 000 $ f) 25 % de 182 000 $

3. Les droits de cession immobilière varient selon le prix d'achat de la propriété.
   Pour les prix d'achat jusqu'à 250 000 $:
   droits de cession immobilière = 1 % du prix d'achat − 275 $
   Calcule les droits de cession immobilière pour une maison de 119 000 $.

4. Oscar a un revenu annuel brut de 35 000 $.

   a) Quel est le prix maximal qu'il peut payer pour une maison ?

   b) Il désire faire un versement initial de 25 %. Combien d'argent devra-t-il prévoir pour ce versement ?

   c) Aura-t-il besoin d'une assurance sur le prêt hypothécaire ? Pourquoi ?

5. Dresse la liste de tous les coûts liés à l'achat d'une maison que tu as vus dans le questionnaire sur l'achat d'une maison. Détermine les coûts qui s'appliquent à tous les achats de maison. Pour les autres coûts, explique les conditions dans lesquelles ils s'appliquent.

6. L'achat d'une maison requiert de nombreuses procédures qui nécessitent l'aide de professionnelles et de professionnels. Consulte le questionnaire sur l'achat d'une maison et dresse la liste de ces procédures. Pour chacune, indique la professionnelle ou le professionnel qui peut s'en occuper.

7. Patrice et Marie ont acheté une maison en rangée en revente pour 134 000 $. Ils ont d'abord payé un acompte de 3 000 $. Au moment de la prise de possession de la maison, ils ont fait un versement initial de 34 000 $.

   a) À combien s'est élevé leur versement initial total ? Quel est le montant de l'hypothèque dont ils ont eu besoin ?

   b) Quel montant de TPS ont-ils payé ? Explique.

   c) Ont-ils eu besoin d'une assurance sur le prêt hypothécaire ? Explique.

   d) Fais la somme de leurs coûts additionnels qui sont les suivants :

droits de cession immobilière	1 065 $
frais de justice	835 $
rajustement des impôts fonciers	196 $
frais d'évaluation	150 $
frais d'inspection	200 $
frais de branchement des services	86 $
frais de déménagement	645 $

   e) Quelle est la somme des coûts additionnels et du versement initial ?

8. Pour calculer les droits de cession immobilière, on utilise différentes formules selon le prix d'achat de la propriété.

   Pour les prix d'achat allant jusqu'à 250 000 $:
   droits de cession immobilière = 1 % du prix d'achat − 275 $

   Pour les prix d'achat allant de 250 000 $ à moins de 400 000 $:
   droits de cession immobilière = 1,5 % du prix d'achat − 1 525 $

   Pour les prix d'achat de 400 000 $ ou plus :
   droits de cession immobilière = 2 % du prix d'achat − 3 525 $

   Montre pourquoi les droits de cession immobilière de la maison de Patrice et Marie (exercice 7) étaient de 1 065 $.

9. Choisis la formule appropriée à l'exercice 8, puis calcule les droits de cession immobilière d'une maison pour chacun des prix d'achat suivants :
   a) 150 000 $ b) 329 900 $
   c) 449 000 $ d) 95 000 $
   e) 51 900 $ f) 399 000 $

10. Selon toi, pourquoi y a-t-il plusieurs formules pour le calcul des droits de cession immobilière ? Crois-tu que cela est équitable ? Explique.

11. Denise et Ryan ont acheté une maison neuve. Le prix annoncé était de 179 000 $ avec la TPS. Quel était le prix de la maison avant la TPS ?

12. Luc et Francine ont acheté en revente un appartement en copropriété dans un immeuble bas. Le coût était de 210 000 $ et ils ont fait un versement initial de 50 000 $. Voici les coûts additionnels :

frais de justice	735,40 $
droits de cession immobilière	$
frais de certificat de préclusion*	50,00 $
frais applicables à l'assurance sur le prêt hypothécaire	155,35 $
branchement du câble, du téléphone et de l'électricité	93,22 $
prime pour l'assurance des biens	389,89 $
frais de déménagement	640,00 $

* un certificat qui donne un aperçu de l'état financier et juridique d'une copropriété

a) De quel montant d'hypothèque ont-ils eu besoin ?
b) Pourquoi n'ont-ils pas payé la TPS sur le prix d'achat ?
c) Ils ont obtenu une assurance sur le prêt hypothécaire. Pourquoi devaient-ils obtenir une telle assurance ? Explique.
d) Calcule les droits de cession immobilière (voir l'exercice 8).
e) Fais la somme des coûts additionnels.
f) Quelle est la somme des coûts additionnels et du versement initial ?

13. Claire et Nicolas ont décidé d'acheter une maison de 150 000 $. De quels renseignements as-tu besoin pour estimer les coûts additionnels qu'ils devront assumer ?

5.3 — Les coûts liés à l'entretien d'une maison

Tu as vu qu'il y a plusieurs coûts liés à l'achat d'une maison. Dans plusieurs cas, on paie ces montants une seule fois. Par contre, d'autres coûts sont permanents. Dresse la liste de tous les coûts liés à l'entretien d'une maison dont les propriétaires doivent tenir compte dans leur budget mensuel.

Analyse ●

1. Une règle stipule que les propriétaires de maison devraient réserver chaque année environ 2 % du prix d'achat pour l'entretien et les réparations. Quel montant faudrait-il réserver chaque année si une maison a coûté :

   a) 145 000 $ **b)** 178 000 $
   c) 211 000 $ **d)** 235 000 $

2. **a)** Qu'est-ce qui différencie l'entretien et les réparations d'une maison neuve de l'entretien et des réparations d'une maison en revente ?

   b) Dans la section 5.1, tu as déterminé les avantages liés à l'achat d'une maison neuve et les avantages liés à l'achat d'une maison en revente. Quels nouveaux éléments pourrais-tu ajouter à ces listes ?

3. Tu as vu qu'une copropriété est un type de droit de propriété. On peut posséder ainsi une maison en rangée, un appartement dans un immeuble bas ou encore dans une tour d'habitation. Les propriétaires paient une charge de copropriété mensuelle pour assurer les coûts des assurances, de l'entretien ainsi que de la réparation et du remplacement d'éléments communs. La charge se base sur la grandeur de l'unité et sert à payer

- certains travaux que les propriétaires font normalement, par exemple, le déneigement et la tonte du gazon ;
- certains services publics comme l'électricité et l'eau ; les autres propriétaires doivent tenir compte de ces services dans leur budget comme des éléments distincts ;
- certains suppléments que d'autres propriétaires peuvent ne pas avoir, tels qu'une salle d'exercice, une salle avec une fonction spéciale ou un système de sécurité.

a) En quoi les coûts d'entretien en copropriété diffèrent-ils des coûts d'entretien dont tiennent compte les autres propriétaires dans leur budget ?

b) Dans la section 5.1, tu as déterminé les avantages et les inconvénients de la copropriété. Quels éléments pourrais-tu ajouter à ces listes ?

4. Les deux premiers coûts qui figurent dans le budget de Suzanne sont l'hypothèque et les impôts fonciers. Suzanne doit aussi tenir compte du coût de l'eau et du déneigement.

a) Selon toi, est-ce que Suzanne habite dans une copropriété ? Explique.

b) Dresse la liste des autres coûts que Suzanne inclut probablement dans son budget pour la maison.

Passe à l'action •

5. Les impôts fonciers sont des taxes versées à la municipalité, c'est-à-dire à la ville, au village ou à la région où se trouve une propriété. Ces impôts servent à payer des services tels que la collecte des ordures et du recyclage, le transport en commun, les parcs et les loisirs, les services de police et d'incendie, les bibliothèques et les services sociaux.

Chaque propriété de l'Ontario a une valeur déterminée par la Société d'évaluation foncière des municipalités (SÉFM).

Chaque municipalité fixe ensuite un taux d'imposition qui représente un pourcentage de cette valeur évaluée.

Calcule les impôts fonciers, arrondis au cent (¢), d'une maison qui aurait les taux d'imposition et les valeurs évaluées qui suivent. Détermine ensuite le montant qu'il faut prévoir dans le budget mensuel.

a) 1,0002 % de 144 000 $

b) 1,1052 % de 158 000 $

c) 1,2004 % de 203 000 $

d) 1,056 % de 258 000 $

6. **a)** Dans quelles circonstances faut-il prendre une assurance sur le prêt hypothécaire ?

  b) Le plus souvent, on paie les impôts fonciers par versements inclus dans les paiements de l'hypothèque, selon les circonstances qui s'appliquent en a). Nomme un avantage de ce mode de versement pour la ou le propriétaire ainsi que pour l'institution prêteuse.

7. Nadia et Yannick sont propriétaires d'une maison. Voici les coûts liés à l'entretien de leur maison :

hypothèque	773,16 $ par mois
impôts fonciers	2 676,86 $ par année
chauffage	930,00 $ par année
électricité	125,50 $ pour deux mois
téléphone	48,20 $ par mois
câble	51,40 $ par mois
assurance habitation	42,24 $ par mois
eau	86,20 $ pour 6 mois
entretien et réparations	3 600,00 $ par année

  a) Calcule les montants mensuels correspondant aux coûts qui sont donnés par année, par six mois ou par deux mois.

  b) Fais la somme des coûts mensuels.

  c) Quel doit être le revenu mensuel brut de Nadia et Yannick si les coûts d'habitation représentent 32 % de ce revenu, selon la règle ?

8. Louise et Jill ont acheté une maison neuve en copropriété. Voici les coûts liés à l'entretien de leur maison :

hypothèque	914,25 $ par mois
impôts fonciers	3 212,48 $ par année
charge de copropriété	312,48 $ par mois
téléphone	48,20 $ par mois
câble	56,90 $ par mois
assurance habitation	42,24 $ par mois
entretien et réparations	3 600,00 $ par année

  a) Calcule les montants mensuels correspondant aux coûts qui ne sont pas donnés par mois.

  b) Fais la somme des coûts mensuels.

  c) Suppose qu'un tiers des frais de condominium paie le chauffage. Quel doit être le revenu mensuel brut de Louise et Jill si les coûts d'habitation représentent 32 % de ce revenu, selon la règle ?

9. **a)** Les propriétaires de maison font des dépenses que les locataires n'ont pas à faire. De quoi s'agit-il ?

  b) Dresse la liste des avantages liés à la possession d'une maison et la liste des avantages liés à la location.

10. Fais une recherche pour déterminer les coûts liés à l'entretien d'une maison donnée. Demande à un membre de ta famille ou de ton entourage de te faire part des renseignements nécessaires.

5.4 — Gros plan sur… les agences immobilières

Alice est agente immobilière. Son travail consiste à permettre la rencontre de gens qui veulent vendre une maison avec des gens qui désirent en acheter une.

Alice a différentes compétences qui l'ont aidée à devenir une agente immobilière chevronnée. L'une de ces compétences est la maîtrise des mathématiques. En effet, Alice fait souvent des estimations et des calculs : elle doit mesurer et évaluer les propriétés ; elle doit aider les acheteuses et les acheteurs à déterminer l'éventail de prix qu'ils peuvent se permettre de payer ; elle doit aussi pouvoir déterminer le coût total d'une maison.

Il est aussi essentiel de posséder des compétences en informatique, car les agentes et les agents comme Alice dressent la liste des propriétés, font des recherches de propriétés et observent les tendances à l'aide d'ordinateurs.

Il est aussi indispensable d'avoir d'excellentes compétences en négociation. Alice négocie au nom des gens qui achètent et de ceux qui vendent pour en arriver à une entente mutuelle.

Si tu vends ta maison, une agente immobilière ou un agent immobilier va
- suggérer un prix de vente pour ta maison en la comparant à d'autres propriétés semblables vendues récemment dans ton quartier ;
- inscrire ta propriété sur la liste du Service inter-agences (SIA) pour pouvoir joindre le plus grand nombre d'acheteuses et d'acheteurs possible ;
- annoncer ta maison dans les journaux et dans Internet ;
- montrer ta maison à des gens à la recherche d'une maison ;
- négocier un prix équitable pour ta maison avec l'agente immobilière ou l'agent immobilier de la personne qui achète.

Si tu achètes une maison, ton agente immobilière ou ton agent immobilier va
- faire une liste des maisons à vendre dans le quartier où tu désires acheter et qui correspondent au prix que tu veux investir ;
- te montrer des maisons à vendre ;
- négocier un prix équitable avec l'agente immobilière ou l'agent immobilier de la personne qui vend ;
- dresser la liste de tes frais de dossier et en faire une estimation.

Alice est payée à la commission, comme toutes les agentes et tous les agents. Une commission est un pourcentage du prix de vente. Puisque les commissions sont payées à partir du prix de vente, ce sont les vendeuses et les vendeurs qui paient les agentes et les agents.

1. La commission totale représente en général 6 % du prix de vente. Ce montant est divisé également entre l'agente ou l'agent de la personne qui vend, l'agente ou l'agent de la personne qui achète et les agences qui les emploient. On vend une maison 152 000 $. Quel est le montant de la commission totale ?

2. En tant qu'agente immobilière pour la personne qui vend ou qui achète, Alice reçoit en principe 1,5 % de la commission totale. L'agence qui l'emploie a aussi une commission de 1,5 %.

   a) À qui vont les 3 % restants ?

   b) Dans quelles circonstances Alice pourrait-elle recevoir une commission de 3 % ?

   c) Quelle commission Alice reçoit-elle si elle aide à vendre une maison pour 152 000 $?

3. Détermine la commission d'Alice si elle obtient une commission de 1,5 % de chaque prix de vente.

   a) 160 000 $ **b)** 240 000 $

   c) 320 000 $ **d)** 92 600 $

4. En juin, Alice a aidé trois personnes à acheter des maisons de 180 000 $, de 105 000 $ et de 230 000 $. Son taux de commission est 1,5 % de chaque prix de vente. Quelle a été sa commission totale au mois de juin ?

5. Un propriétaire reçoit 200 000 $ pour la vente de sa maison après avoir payé une commission de 6 %. Quel était le prix de vente de la maison ?

6. Certaines vendeuses et certains vendeurs tentent de vendre leur maison directement, sans l'aide d'une agente immobilière ou d'un agent immobilier. Pourquoi ? Quels avantages y a-t-il à vendre une maison à l'aide des services d'une agente ou d'un agent ?

7. Fais des recherches sur la formation et les stages nécessaires pour devenir agente immobilière ou agent immobilier. Informe-toi aussi sur les avantages et les inconvénients d'une carrière en immobilier.

Pour accéder à des sites Web sur les carrières en immobilier, rends-toi à l'adresse suivante : www.dlcmcgrawhill.ca.

5.5 — # Tour d'horizon : L'achat d'une maison

1. a) Suppose qu'une autre personne et toi (amie ou ami, conjointe ou conjoint) avez à vous deux un revenu annuel brut de 60 000 $. Vous avez économisé 20 000 $ pour faire un versement initial sur une maison. Détermine le prix d'achat que vous avez les moyens de payer.

b) À l'aide d'Internet, de journaux locaux ou de magazines sur l'immobilier, trouve une maison que tu aimerais acheter et qui correspond au montant disponible.

c) Dresse la liste de tous les coûts liés à l'achat d'une maison. Estime le montant de chaque coût et fais-en la somme.

d) Dresse la liste des coûts mensuels qui s'appliquent lorsqu'on est propriétaire d'une maison, après le déménagement. Estime le montant de chaque coût et fais-en la somme.

e) Rappelle-toi la règle selon laquelle les coûts d'habitation mensuels ne doivent pas représenter plus de 32 % du revenu mensuel brut d'une ou d'un propriétaire. Est-ce que les coûts d'habitation en d) respectent la règle de 32 % ?

2. Quelles notions mathématiques est-il bon de connaître quand on possède une maison ?

Pour accéder à des sites Web comportant des annonces de maison à vendre, rends-toi à l'adresse suivante : www.dlcmcgrawhill.ca.

1. Énumère au moins cinq facteurs qui ont un effet sur le prix d'achat d'une maison.

2. Décris une maison que tu pourrais acheter dans ta localité ou dans une localité environnante et dont le prix de vente serait de 200 000 $.

3. À deux, Judith et Nicolas ont un revenu annuel brut de 70 000 $. Utilise le tableau de la section 5.2 à la page 88 pour répondre aux questions suivantes.

   a) Judith et Nicolas désirent faire un versement initial de 25 % sur une maison. De quel montant devraient-ils disposer ?
   b) Quel est le prix maximal qu'ils peuvent payer pour l'achat d'une maison ?

4. Nomme un coût lié à l'achat d'une maison neuve qui ne s'applique pas à l'achat d'une maison en revente.

5. Emma et Joël ont acheté une maison en revente. Le prix de la maison était de 190 000 $ et ils ont fait un versement initial de 40 000 $. Voici les coûts additionnels :

frais de justice	685,40 $
droits de cession immobilière	$
rajustements pour les impôts fonciers payés par la vendeuse ou le vendeur	356,03 $
frais applicables à l'assurance sur le prêt hypothécaire	145,85 $
branchement du câble, du téléphone et de l'électricité	86,25 $
prime pour l'assurance des biens	325,03 $
frais de déménagement	645,00 $

   a) Quel est le montant de l'hypothèque dont ils ont eu besoin ?
   b) Emma et Joël ont obtenu une assurance sur le prêt hypothécaire. Pourquoi devaient-ils obtenir une telle assurance ? Explique.
   c) Calcule les droits de cession immobilière. (Voir la section 5.2, exercice 8, à la page 89.)
   d) Fais la somme des coûts additionnels.
   e) Fais la somme des coûts additionnels et du versement initial.

6. **a)** Dresse la liste de tous les coûts liés à l'entretien d'une maison.
   b) Normalement, quels sont les trois coûts les plus élevés ?
   c) Quels sont les coûts considérés comme des coûts d'habitation et qui servent à déterminer le montant qu'une acheteuse ou un acheteur peut payer pour se loger ?
   d) On appelle souvent PITC les coûts d'habitation de la partie c). Explique ce que cela veut dire.
   e) Indique la différence entre les coûts d'entretien des propriétaires d'une copropriété et les coûts d'entretien des autres propriétaires.

6

Le budget familial

Dans ce chapitre, tu vas :
– déterminer les éléments
  d'un budget familial ;
– examiner des loyers et
  des coûts d'habitation qui
  conviennent à des salaires
  donnés ;
– dresser et présenter
  un budget ;
– adapter un budget à un
  changement de situation.

Vers la fin du chapitre,
tu vas dresser et présenter
des budgets convenant à deux
situations de vie différentes.

6.1 — # Un logement à prix abordable

Fais une recherche ••••••••••••••••••••••••••••••••••

Zaïb et Aneela veulent acheter une maison.
- Leur revenu annuel brut est de 61 000 $.
- Le revenu d'Aneela est de 28 000 $.
- Aneela est enceinte et souhaite s'occuper de son enfant à temps plein pendant deux ans. La première année, elle s'attend à recevoir une prestation de maternité équivalant à environ deux tiers de son salaire. Elle ne devrait pas recevoir de salaire la deuxième année.
- En ce moment, Zaïb et Aneela paient 950 $ par mois pour un appartement à deux chambres.
- Ils ont économisé 16 000 $ pour le versement initial à l'achat d'une maison.
- La maison qu'ils aimeraient acheter coûte 160 000 $.

Applique ce que tu as appris aux chapitres 4 et 5. Que conseillerais-tu de faire à Zaïb et à Aneela ? Pourquoi ?

Analyse ••

Au chapitre 4, tu as vu qu'un loyer ne devrait pas dépasser le revenu hebdomadaire brut des locataires, c'est-à-dire le revenu pour une semaine avant toute retenue.

Au chapitre 5, tu as vu que les coûts d'habitation mensuels (le prêt hypothécaire, les intérêts sur le prêt hypothécaire, l'impôt foncier et le chauffage) ne devraient pas dépasser 32 % du revenu mensuel brut des propriétaires. De plus, à la page 88 du chapitre 5, un tableau conçu par la Société canadienne d'hypothèques et de logement (SCHL) présente une estimation de prix abordables pour l'achat d'une maison avec un versement initial de 10 % ou 25 %, fondée sur les coûts d'habitation.

Exemple 1

Tania et Maxime sont mariés depuis six ans et désirent acheter une maison. Le revenu annuel brut de Maxime est de 27 500 $ et celui de Tania est de 29 000 $. Ils ont économisé 16 000 $ pour le versement initial à l'achat de leur maison.

a) D'après le tableau de la page 88 du chapitre 5, quel prix d'achat peuvent-ils payer ?

b) Quel montant peuvent-ils consacrer aux coûts d'habitation mensuels ?

Solution

a) Revenu annuel brut = revenu de Maxime + revenu de Tania
= 27 500 + 29 000
= 56 500

D'après leur revenu annuel brut et le montant économisé pour le versement initial, ils peuvent se permettre un versement initial de 10 %.

Revenu annuel brut	Versement initial de 10 %	Prix d'achat maximal
50 000 $	13 500 $	134 600 $
60 000 $	16 700 $	166 900 $

Tania et Maxime peuvent acheter une maison d'environ 150 000 $ et faire un versement initial de 10 %.

b) Les coûts d'habitation mensuels ne devraient pas dépasser 32 % du revenu brut mensuel.

revenu brut mensuel = revenu brut annuel ÷ nombre de mois dans une année
= 56 500 ÷ 12
= 4 708,33

coûts d'habitation mensuels = 32 % de 4 708,33 $
= 0,32 × 4 708,33
= 1 506,67

Tania et Maxime peuvent consacrer environ 1 500 $ par mois aux coûts d'habitation.

La SCHL propose aussi le tableau suivant, qui compare les facteurs de versement hypothécaire mensuel par tranche de 1 000 $ du prêt hypothécaire, pour divers taux d'intérêts et diverses périodes d'amortissement.

Facteurs de versement hypothécaire mensuel

Taux	Période d'amortissement			
	25 ans	20 ans	15 ans	10 ans
6,0 %	6,398	7,122	8,399	11,065
6,5 %	6,698	7,405	8,664	11,311
7,0 %	7,004	7,693	8,932	11,559
7,5 %	7,316	7,986	9,205	11,810
8,0 %	7,632	8,284	9,482	12,064

On peut calculer un versement hypothécaire mensuel à l'aide de la formule suivante :

$$\text{versement hypothécaire mensuel} = \frac{\text{hypothèque}}{1000} \times \text{facteur de versement}$$

Exemple 2

a) Détermine le versement hypothécaire mensuel pour une hypothèque de 135 000 $ que Tania et Maxime (de l'exemple 1) envisagent de prendre sur 25 ans à 6,5 % d'intérêt par année.

b) Détermine le montant total qu'ils auront à payer ainsi que le coût du prêt hypothécaire.

c) Propose des moyens pour faire diminuer ce coût.

Solution

a) Selon le tableau, le facteur de versement hypothécaire mensuel est de 6,698.

$$\text{Versement hypothécaire mensuel} = \frac{135\,000}{1000} \times 6,698$$

$$= 904,23$$

Le versement hypothécaire sera de 904,23 $ par mois.

b) Montant total payé = versement mensuel × nombre de mois
par année × période d'amortissement
= 904,23 × 12 × 25
= 271 269

Coût de l'hypothèque = montant total payé − montant hypothéqué
= 271 269 − 135 000
= 136 269

Le montant total à payer est 271 269 $ et le coût du prêt hypothécaire, ou des intérêts, s'élève à 136 269 $, soit plus que l'hypothèque en soi.

c) Comme tu l'as appris au chapitre 5, on peut réduire le coût du prêt hypothécaire par les moyens suivants :
en donnant une mise de fonds la plus élevée possible (ce qu'ils ont fait);
en raccourcissant la période d'amortissement;
en choisissant des versements à la semaine ou aux deux semaines plutôt qu'au mois;
en optant pour un prêt hypothécaire qui permet des versements forfaitaires.

Passe à l'action

1. **Vérifie tes compétences** À partir des revenus bruts suivants, détermine le montant maximal que chaque personne devrait consacrer au loyer par mois. Au besoin, suppose qu'il y a 4 semaines dans un mois et qu'une semaine de travail normale comprend 35 heures.

   a) 1 600 $ par mois   **b)** 3 333 $ par mois
   c) 41 600 $ par année   **d)** 37 440 $ par année
   e) 8,80 $ l'heure   **f)** 14,50 $ l'heure

2. **Vérifie tes compétences** À partir des revenus bruts suivants, détermine le montant maximal que les propriétaires devraient consacrer aux coûts d'habitation mensuels. Si nécessaire, suppose qu'il y a 4 semaines dans un mois et que la semaine de travail normale comprend 35 heures.

   a) 1 600 $ par mois   **b)** 3 333 $ par mois
   c) 41 600 $ par année   **d)** 37 440 $ par année
   e) 8,80 $ l'heure   **f)** 14,50 $ l'heure

3. Ken loue un appartement dans une maison et son loyer mensuel est de 700 $.

   a) Quel revenu annuel brut minimal Ken devrait-il gagner pour avoir les moyens de payer ce loyer ?
   b) Quel taux horaire minimal Ken devrait-il gagner pour pouvoir payer ce loyer ? Une semaine de travail normale comprend 35 heures.

4. Détermine les versements hypothécaires mensuels pour un prêt hypothécaire de 195 000 $ à 6,5 % d'intérêt par année pour chacune des périodes d'amortissement suivantes :

   a) 10 ans   **b)** 15 ans   **c)** 20 ans   **d)** 25 ans

5. Détermine le montant total payé pour un prêt hypothécaire de 195 000 $ selon chacune des périodes d'amortissement de l'exercice 4. Quelle conclusion peux-tu tirer ? Dans quelles circonstances choisirais-tu une période d'amortissement de 25 ans au lieu de 10 ans ?

6. À l'aide d'Internet, de journaux ou de magazines d'habitation, trouve des annonces de logements à prix abordables pour chacune des familles suivantes. Indique toutes les suppositions que tu fais.

   a) Fiona vient d'obtenir son premier emploi à temps plein. Au départ, elle gagnera 8,65 $ l'heure, à raison de 35 heures par semaine, 52 semaines par année. Elle n'a personne à sa charge et ne désire pas partager son logement.
   b) Éric et Victoria viennent de se marier. Ils travaillent tous les deux à temps plein. Éric gagne 26 000 $ par année et Victoria, 28 000 $. Toutefois, ils ont quelques dettes à rembourser.
   c) Alexandre est le parent unique de Vanessa, qui a trois ans. Il doit payer des frais de garderie pour Vanessa. Il gagne 25 000 $ par année.
   d) Nicolas et Christine sont les parents de Jacques. Jacques utilise un fauteuil roulant. La natation constitue une excellente physiothérapie pour Jacques. Christine est femme au foyer et le travail de Nicolas rapporte 50 000 $ par année.

7. Détermine si les prêts hypothécaires suivants sont abordables pour chacun des revenus bruts correspondants, au taux hypothécaire de 7,5 % par année, amorti sur 15 ans.

	Revenu brut	Prêt hypothécaire	Impôts fonciers et chauffage par mois
a)	48 800 $ par année	120 000 $	275 $
b)	3 000 $ par mois	100 000 $	230 $
c)	1 400 $ par semaine	205 000 $	458 $
d)	85 000 $ par année	203 000 $	430 $

8. Joël et Julie veulent acheter une maison plus grande pour leurs enfants d'âge préscolaire, Michaël et Philippe. Ils insistent pour qu'elle se trouve à proximité d'une école primaire. Leur revenu brut combiné s'élève à 58 000 $ par année.

Tu peux accéder à des sites Web comportant des annonces de logements à louer et des maisons à vendre par l'intermédiaire du site suivant : www.dlcmcgrawhill.ca.

a) Fais une recherche à l'aide d'Internet, de journaux ou de magazines immobiliers. Trouve un logement qui respecte le tableau des montants abordables pour l'achat d'une maison et qui répond aux besoins de cette famille.

b) Décide du montant du versement initial. Détermine le montant de l'hypothèque.

c) Détermine le taux d'intérêt et la période d'amortissement. Ensuite, calcule les versements hypothécaires mensuels en fonction de la période d'amortissement et du taux d'intérêt choisis.

d) Suppose que l'impôt foncier et les frais de chauffage coûtent 375 $ par mois. Démontre que les versements hypothécaires, les impôts fonciers et le chauffage représentent moins de 32 % de leur revenu mensuel brut.

Les éléments du budget familial

Fais une recherche

Examine les dépenses que tu as notées depuis le début de ce cours.
Détermine des catégories de dépenses (par exemple, les loisirs) et classe tes
dépenses (par exemple, le cinéma) dans ces catégories.

À quelle catégorie consacres-tu le plus d'argent ? le moins d'argent ?

Quelles dépenses considères-tu comme essentielles ? Explique.

Analyse

1. **a)** Selon toi, en quoi tes dépenses seront-elles différentes cinq ans après la
   fin de tes études secondaires ?
   b) Détermine des catégories et classe toutes les dépenses qui te viennent à
   l'esprit dans ces catégories.
   c) À quelle catégorie consacreras-tu le plus d'argent ? le moins d'argent ?
   d) Parmi ces dépenses, lesquelles considères-tu comme essentielles ?

2. Un **budget** est un plan méthodique des dépenses. Pour concevoir un plan
   raisonnable, tu dois connaître tes sources de revenu.
   a) Dresse la liste de tes sources de revenu actuelles.
   b) Selon toi, quelles seront tes sources de revenu cinq ans après la fin de
   tes études secondaires ?

3. Tes dépenses englobent tout ce que tu achètes avec ton argent. Certaines
   dépenses, appelées **frais variables,** sont différentes d'un mois à l'autre.
   D'autres dépenses, appelées **frais fixes,** sont les mêmes chaque mois.
   a) Examine toutes les dépenses que tu as énumérées en 1 b). Indique s'il
   s'agit de frais fixes ou de frais variables.
   b) Comment peux-tu estimer le montant à prévoir chaque mois pour tes
   frais variables ?

4. Certaines dépenses, comme les services publics, varient d'un mois à
   l'autre. C'est pourquoi certaines compagnies de services offrent
   d'effectuer des versements égaux. De cette façon, la compagnie facture le
   même montant chaque mois et, à la fin de l'année, elle ajuste les
   versements en fonction des trop-perçus ou des moins-perçus.
   a) Qu'est-ce qui peut faire varier les montants de la facture de chauffage
   et d'électricité d'un mois à l'autre ?
   b) Pourquoi les versements égaux sont-ils utiles ?
   c) Selon toi, comment les compagnies déterminent-elles le montant à
   facturer chaque mois ?

5. **Vérifie tes compétences** Trouve la moyenne des frais variables de Georges pour chaque catégorie.

	Frais variables	Mars	Avril	Mai
a)	épicerie	70 $	85 $	73 $
b)	téléphone	43 $	52 $	39 $
c)	loisirs	35 $	60 $	46 $
d)	vêtements	55 $	67 $	280 $
e)	cadeaux	20 $	0 $	55 $
f)	divers	14 $	10 $	18 $

6. **a)** À l'exercice 5, dans quelles catégories les frais variables diffèrent-ils beaucoup d'un mois à l'autre ?

   b) Pourquoi ces mois sont-ils si différents l'un de l'autre ?

   c) Comment Georges peut-il se servir des moyennes pour dresser son budget pour le mois suivant ?

7. Voici les frais fixes mensuels de Georges :

paiement de voiture	120 $
assurance automobile	85 $
épargne	135 $
accès Internet	18 $

   a) Trouve la somme des frais fixes mensuels de Georges.

   b) Devine où Georges habite d'après les dépenses qu'il ne fait pas.

   c) À l'aide de tes résultats aux exercices 5 et 6, détermine le montant des dépenses que Georges devrait inscrire à son budget le mois suivant.

8. Voici les frais fixes de Gaëlle :

chambre et pension	225 $
laissez-passer d'autobus	65 $
épargne	90 $
accès Internet	24 $

Voici les frais variables de Gaëlle :

Frais variables	Juin	Juillet	Août
Téléphone	35 $	39 $	36 $
Loisirs	85 $	60 $	49 $
Vêtements	35 $	84 $	238 $
Cadeaux	0 $	0 $	68 $
Divers	18 $	15 $	22 $

   a) Détermine un montant raisonnable que Gaëlle devrait prévoir pour chaque catégorie de ses frais variables.

   b) Calcule les montants totaux que Gaëlle devrait porter à son budget le mois suivant.

9. Calcule ou estime le montant que tu as dépensé chaque mois pour tes loisirs et pour une autre catégorie de ton budget depuis le début de ce cours. Quel montant devrais-tu porter à ton budget pour chaque catégorie le mois prochain ? Pourquoi ?

10. Durant quels mois devrais-tu prévoir un montant plus élevé qu'à l'habitude pour les cadeaux ? Explique.

11. Qu'est-ce qu'un achat impulsif ? Comment ton budget peut-il t'empêcher de faire des achats impulsifs ?

12. Habituellement, on recommande d'épargner 10 % du revenu net, soit le revenu après les retenues. Détermine le montant que chaque personne devrait mettre de côté chaque semaine.

   a) L'emploi à temps partiel de William lui rapporte un revenu net de 128 $ par semaine.

   b) Grâce à son emploi d'été à temps plein, Caroline gagne un salaire net de 375 $ par semaine.

13. Réfléchis aux situations de vie suivantes et décris les différences de budget pour chaque ensemble de situations :

   a) locataire, propriétaire, personne en chambre et pension, personne habitant chez ses parents

   b) personne habitant seule, personne partageant son logement avec quelqu'un

   c) personne ayant des enfants, personne sans enfant

Le budget mensuel

Fais une recherche

Comment peux-tu tenir compte de tes dépenses et de tes revenus de façon à respecter un budget ? Quel logiciel peut t'aider à préparer ton budget ?

Analyse

Une feuille budgétaire, un logiciel de budget ou un tableur électronique peuvent t'aider à faire ta planification financière pour le mois à venir et à noter tes dépenses et tes revenus réels. Ces outils te permettent de déceler si une des catégories présente des surplus ou des résultats négatifs et de constater si tu respectes ton budget en général.

1. Alexis est un élève de 12e année. Il travaille à temps partiel au restaurant de ses parents. Son revenu mensuel net est de 464 $, plus le pourboire.

   Chaque mois, les frais fixes d'Alexis sont les suivants :

épargne	46 $
paiement de voiture	120 $
assurance	85 $
accès Internet	18 $

   Il a évalué ses frais variables comme ceci :

téléphone	40 $
essence, huile et réparations	40 $
vêtements	50 $
loisirs	50 $
articles personnels	30 $

   Le mois dernier, Alexis a gagné son salaire de 464 $ et un pourboire de 165 $. Ses frais fixes sont ceux qu'il avait prévus. Voici ses frais variables :

essence et vidange d'huile	70 $	
vêtements	85 $	
loisirs	40 $	
articles personnels	38 $	
téléphone	35 $	
cadeaux d'anniversaire	40 $	
verres correcteurs	55 $	(montant non couvert par l'assurance maladie familiale)
abonnement à un magazine	24 $	
transport en commun	5 $	

Avant le début du mois, Alexis enregistre les montants prévus dans un tableur électronique. À la fin du mois, il entre les montants réels. Il calcule la différence entre le montant réel et le montant prévu pour chaque catégorie. Un moins (−) indique un résultat négatif.

	A	B	C	D
1	Revenu mensuel net	Budget ($)	Montant réel ($)	Différence ($)
2	Salaire	464	464	0
3	Pourboire	0	165	165
4	Total	464	629	165
5	Dépenses			
6	Frais fixes			
7	Épargne	46	46	0
8	Paiement de voiture	120	120	0
9	Assurance automobile	85	85	0
10	Accès Internet	18	18	0
11	Frais variables			
12	Téléphone	40	35	−5
13	Transport (billets d'autobus)	0	5	5
14	Essence et vidange d'huile	40	70	30
15	Vêtements	50	85	35
16	Loisirs	50	40	−10
17	Articles personnels	30	38	8
18	Soins médicaux, soins dentaires, verres correcteurs	0	55	55
19	Autres (cadeaux)	0	40	40
20	Autres (abonnement)	0	24	24
21	Total des dépenses mensuelles	479	661	182

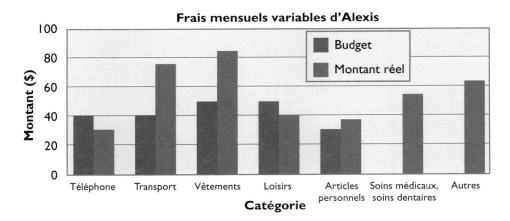

Frais mensuels variables d'Alexis

À l'aide du tableur et du graphique à bandes doubles, réponds aux questions suivantes.

a) De combien les dépenses prévues d'Alexis dépassent-elles son revenu prévu ?

b) Dans quelles catégories Alexis a-t-il dépensé plus que ce qu'il avait prévu ?

c) Dans quelles catégories a-t-il dépensé moins que ce qu'il avait prévu ?

d) En général, a-t-il respecté son budget mensuel ? Est-ce que ses finances vont bien ? Explique.

e) Pour chacune des parties a) à d), détermine s'il est plus facile de répondre à l'aide du tableau ou du graphique. Pourquoi ?

Passe à l'action •

2. Line va à l'école secondaire et habite chez ses parents. Elle a un emploi à temps partiel. Elle a préparé son budget pour le mois.

a) Calcule le total de ses revenus mensuels.

b) Calcule le total de ses dépenses prévues.

c) De combien ses dépenses prévues dépassent-elles son revenu ?

d) Propose des changements à ses dépenses pour qu'elles soient inférieures ou égales à son revenu.

(ST) e) Établis un budget équilibré pour Line.

Revenu mensuel net	Budget
Emploi	450 $
Placements	25 $
Total	

Dépenses mensuelles	
Frais fixes	
Épargne	45 $
Accès Internet	20 $
Téléphone cellulaire	25 $
Transport (billets d'autobus)	40 $
Frais variables	
Vêtements	250 $
Loisirs	50 $
Articles personnels	55 $
Frais scolaires	35 $
Autres (cadeaux)	50 $
Total des dépenses mensuelles	

3. Vicky travaille à temps plein depuis 10 ans. Elle prépare son budget à l'aide d'un logiciel.

Revenu mensuel net	Budget
Emploi	3 500 $
Placements	200 $
Total	3 700 $

Dépenses mensuelles	
Frais fixes	
Économies	
Hypothèque, impôt et chauffage	
Paiement de voiture	380 $
Assurances (habitation et automobile)	100 $
Entretien de la maison	
Câblodistribution	40 $

a) Détermine le montant qu'elle devrait prévoir afin d'épargner environ 10 % de son revenu net.

b) Détermine le montant qu'elle devrait prévoir pour l'hypothèque, l'impôt et le chauffage. Les coûts d'habitation ne doivent pas dépasser 32 % de son revenu mensuel brut, soit 4 300 $.

c) Détermine le montant mensuel qu'elle devrait attribuer à l'entretien de sa maison, soit 2 % de la valeur de sa maison (135 000 $) par année.

d) Vicky a construit le graphique à bandes doubles suivant pour illustrer ses dépenses prévues et réelles. Dans quelles catégories ses dépenses dépassent-elles le montant prévu ? Dans quelles catégories sont-elles inférieures au montant prévu ?

e) En général, a-t-elle respecté son budget ? Comment peux-tu le savoir ?

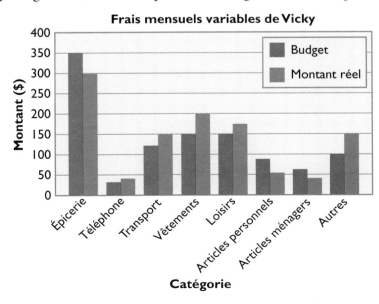

4. **Vérifie tes compétences** Le graphique circulaire suivant illustre les dépenses de Marc-Antoine pour un mois.

Dépenses de Marc-Antoine

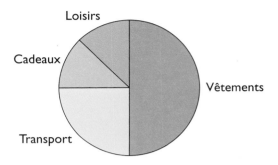

a) Dans quelle catégorie Marc-Antoine a-t-il dépensé le plus?

b) Si Marc-Antoine a dépensé 25 $ pour ses loisirs, environ combien d'argent a-t-il dépensé pour ses vêtements?

5. Mathieu travaille à temps plein depuis trois ans. Il estime ses dépenses pour le mois et les inscrit dans une feuille budgétaire. Quel revenu mensuel net doit-il gagner pour couvrir ses dépenses prévues?

Dépenses mensuelles	Budget
Frais fixes	
Épargne	290 $
Loyer	650 $
Stationnement	20 $
Paiement de voiture	343 $
Assurance automobile	120 $
Câblodistribution	48 $
Frais variables	
Transport (essence et huile)	120 $
Épicerie	360 $
Téléphone	40 $
Vêtements	100 $
Loisirs	120 $
Articles personnels	50 $
Articles ménagers	20 $
Total des dépenses mensuelles	

6. Adam va à l'école secondaire et habite chez ses parents. Il a rempli toutes les cases de sa feuille budgétaire, sauf celle de l'épargne.

a) Quel montant maximal peut-il prévoir pour l'épargne en maintenant un budget équilibré?

b) Quel pourcentage de son revenu mensuel net l'épargne en a) représente-t-elle?

c) S'il voulait économiser davantage dans un but particulier, quels éléments de son budget devrait-il ajuster?

Revenu mensuel net	Budget
Total	640 $

Dépenses mensuelles	
Frais fixes	
Épargne	
Cours	160 $
Frais de gymnase	25 $
Accès Internet	20 $
Frais variables	
Transport (billets d'autobus)	40 $
Vêtements	180 $
Loisirs	80 $
Articles personnels	25 $
Frais scolaires (sortie éducative à Stratford)	30 $
Total des dépenses mensuelles	

7. Vito va à l'école secondaire et habite chez ses parents. Son emploi à temps partiel dans un magasin lui rapporte 8 $ l'heure. Il travaille un maximum de 60 heures par mois. Vito planifie le mois prochain. Il doit inclure dans ses frais variables un billet de concert et un cadeau d'anniversaire pour sa mère. Voici les dépenses qu'il a prévues.

Dépenses mensuelles	
Frais fixes	
Épargne	60 $
Téléphone cellulaire	15 $
Frais variables	
Transport (billet d'autobus)	40 $
Vêtements	100 $
Loisirs	150 $
Articles personnels	35 $
Autres (cadeaux)	65 $
Total des dépenses mensuelles	

a) Le revenu net de Vito est le même que son revenu brut. Combien doit-il gagner pour couvrir ses dépenses ?

b) Combien d'heures Vito doit-il travailler le mois prochain ?

ST **8. a)** Dresse ton budget pour le mois prochain à l'aide d'une feuille budgétaire, d'un logiciel de budget ou d'un tableur électronique. Au besoin, corrige ton budget afin que tes dépenses prévues soient inférieures à tes revenus.

b) Suis l'évolution de tes dépenses réelles tout au long du mois.

c) À la fin du mois, détermine si tu as respecté ton budget.

d) Si tu as dépassé ton budget, détermine les dépenses que tu aurais pu éviter ou remettre à plus tard.

ST **9.** Dave et Allison sont mariés et travaillent depuis deux ans. Ils ont un revenu mensuel net de 3 700 $ ainsi que les dépenses mensuelles suivantes :

Épargne	10 % du revenu net
Loyer, services compris	900 $
Transport en commun	90 $
Vêtements	250 $
Épicerie	400 $
Loisirs	100 $
Articles personnels	75 $
Ordonnances	40 $
Articles ménagers	85 $

Remplis la colonne des prévisions d'une feuille budgétaire pour ce couple ou utilise un logiciel de budget ou un tableur électronique pour préparer son budget.

6.4 — La variation d'un des éléments du budget

FA **Fais une recherche** ••

Mathieu (de l'exercice 5, à la page 112) a eu un accident de voiture. Heureusement, personne n'a été blessé et sa compagnie d'assurances paie la réparation de sa voiture. Cependant, sa prime d'assurance augmente de 100 $ par mois. Corrige le budget de Mathieu, mais assure-toi que la somme des dépenses mensuelles reste la même. Explique les changements que tu fais.

Analyse ••

Il est bon d'avoir un budget. Cependant, il arrive qu'un important changement de situation bouleverse même le plan le plus minutieusement pensé. Alors, il faut corriger le budget.

Exemple

Wendy vient d'établir son budget lorsqu'elle se rend compte qu'elle doit y inclure une facture de 630 $ pour une réparation de sa voiture. Corrige son budget, mais assure-toi que ses dépenses demeurent inférieures à son revenu net.

Solution

Revenu mensuel net	Budget	Budget corrigé
Emploi à temps plein	3 200 $	3 200 $
Emploi à temps partiel	500 $	500 $
Total	3 700 $	3 700 $

Dépenses mensuelles		
Frais fixes		
Épargne	520 $	520 $
Versement hypothécaire	844 $	844 $
Paiement de voiture	380 $	380 $
Assurances (habitation et automobile)	200 $	200 $
Entretien de la maison	320 $	320 $
Câblodistribution	40 $	40 $
Frais variables		
Épicerie	350 $	350 $
Services publics	150 $	150 $
Téléphone	35 $	35 $
Voiture (essence, huile et entretien)	120 $	**750 $**
Vêtements	150 $	**0 $**
Loisirs	300 $	**40 $**
Articles personnels	85 $	**5 $**
Articles ménagers	65 $	65 $
Autres	100 $	**0 $**
Total des dépenses mensuelles	3 659 $	**3 699 $**

ST **1.** Catherine habite chez ses parents et travaille à temps partiel. Elle utilise la voiture de ses parents pour aller travailler et prend les transports en commun pour se rendre à l'école. À la fin de ses études, son employeur lui offre une augmentation de salaire et un poste à temps plein. Catherine se demande si elle a les moyens de louer un appartement et de s'acheter une voiture. Voici son budget du mois dernier.

	A	B
1	**Revenu mensuel net**	**Budget ($)**
2	**Total**	432
3	**Dépenses mensuelles**	
4	**Frais fixes**	
5	Épargne	50
6	Loyer	0
7	Paiement de voiture	0
8	Assurance	0
9	Entretien du logement	0
10	Câblodistribution	0
11	**Frais variables**	
12	Nourriture (restaurant)	60
13	Services publics	0
14	Téléphone	0
15	Transport (essence, huile)	0
16	Transport (entretien)	0
17	Transport (laissez-passer d'autobus)	60
18	Vêtements	150
19	Loisirs	65
20	Articles personnels	35
21	Articles ménagers	0
22	**Total des dépenses mensuelles**	420

Grâce à son emploi à temps plein, Catherine gagnera un salaire net de 1 520 $ par mois. Elle a la possibilité de partager un logement avec une amie pour 350 $ par mois (services publics, téléphone, câblodistribution et stationnement compris). Elle devra payer son épicerie et ses appels interurbains. De plus, Catherine trouve une voiture intéressante, offerte à 210 $ par mois. Elle prévoit qu'elle devra faire le plein d'essence une fois par semaine et payer 100 $ par mois pour l'assurance automobile. Enfin, elle devra prévoir un montant pour l'entretien et les réparations.

Catherine accepte le poste à temps plein. Corrige son budget en fonction de son nouveau revenu. Décris les changements budgétaires et explique si elle peut se permettre d'acheter la voiture ou de partager le logement avec son amie.

ST **2.** Dans deux mois, le loyer de Christian augmentera de 3,9 %. Le tableau suivant décrit son budget mensuel actuel. Corrige son budget en tenant compte de l'augmentation imminente de son loyer.

	A	B
I	**Revenu mensuel net**	**Budget ($)**
2	**Total**	2 281
3	**Dépenses mensuelles**	
4	**Frais fixes**	
5	Épargne	290
6	Loyer	650
7	Stationnement	20
8	Paiement de voiture	343
9	Assurance automobile	120
10	Câblodistribution	48
II	**Frais variables**	
12	Transport (essence, huile)	120
13	Épicerie	360
14	Téléphone	40
15	Vêtements	100
16	Loisirs	120
17	Articles personnels	50
18	Articles ménagers	20
19	**Total des dépenses mensuelles**	2 281

ST **3.** Au cours d'une période tranquille au travail, l'horaire de tout le personnel est réduit de 40 à 32 heures. Ainsi, le revenu mensuel net de Christian passe de 2 281 $ à 1 824,80 $. Reporte-toi au budget de Christian à l'exercice 2. Propose des changements au budget de Christian qui lui permettraient de couvrir ses dépenses, y compris son loyer augmenté. Christian ne veut pas déménager. Prépare un budget corrigé pour Christian.

6.5 Gros plan sur… la remise à neuf de mobilier

Rita a toujours aimé les meubles anciens et désire devenir restauratrice de mobilier. Son objectif à long terme consiste à diriger sa propre entreprise, qu'elle nommera Restauration Rita. Pour atteindre son but, Rita suit des cours de menuiserie, de mathématiques et de français des affaires à l'école secondaire.

En plus d'aller à l'école, Rita travaille à temps partiel pour un restaurateur de mobilier. Elle apprend beaucoup de choses : l'utilisation de pinceaux et de pistolets à pulvérisation, de divers colorants, de peintures, d'encres, de vernis et d'enduits et la finition électrostatique.

Rita prépare les meubles pour la finition. Pour enlever les vieilles finitions avec soin et de manière méticuleuse, elle doit être très patiente. Grâce à sa formation en menuiserie, elle possède les compétences nécessaires pour effectuer des réparations.

À la fin de ses études, Rita prévoit travailler à temps plein pour la même entreprise de restauration. Elle recevra une formation en milieu de travail et elle gagnera un taux horaire de 11,70 $. Au bout d'un an, elle travaillera au taux horaire de 12,70 $.

1. En quoi les cours que Rita a choisis au secondaire pourront-ils l'aider à atteindre son but, c'est-à-dire mettre sur pied Restauration Rita ?

2. a) Si Rita travaille 37,5 heures par semaine, 52 semaines par année, quel sera son revenu annuel brut pour sa première année de travail à temps plein ?
   b) Quel loyer environ pourra-t-elle payer chaque mois ?
   c) Suppose que son revenu net représente 83 % de son revenu brut. Quel est son revenu mensuel net ?
   d) Si Rita épargne 10 % de son revenu net, combien mettra-t-elle de côté par mois durant sa première année de travail à temps plein ?

3. Quel sera le revenu annuel brut de Rita pour sa deuxième année de travail à temps plein ? Quel est le pourcentage d'augmentation par rapport au revenu de la première année ?

4. Rita apprend que le revenu brut moyen maximal pour le travail de restauration est d'environ 45 000 $. Si elle atteint ce revenu brut, environ combien d'argent pourra-t-elle consacrer annuellement à son logement ?

6.6

GÉ

Tour d'horizon : Le budget familial

ST **1.** Yoan vient de terminer ses études secondaires et a trouvé un emploi. Il reçoit 12,50 $ l'heure à raison de 40 heures par semaine. Il n'a pas de voiture et utilise le transport en commun. Son laissez-passer d'autobus coûte 45 $ par mois. Suppose que son revenu net représente environ 83 % de son revenu brut et que sa prime d'assurance responsabilité civile s'élève à 210 $ par année.

Trouve un logement abordable pour Yoan dans ta localité. Explique ton choix. Puis, prépare un budget mensuel pour Yoan. Estime les frais fixes et les frais variables qui ne sont pas mentionnés. Présente le budget à l'aide de graphiques ou de tableaux et de notes explicatives.

ST **2.** Emma est travailleuse de la construction. Elle a un revenu annuel brut de 36 000 $. Elle élève seule sa fille de deux ans et paie environ 400 $ par mois en frais de garderie. Elle possède une maison et paie 600 $ par année pour l'assurance habitation. Ses coûts d'habitation représentent environ 28 % de son revenu brut. Elle possède une voiture pour laquelle elle effectue des paiements mensuels de 200 $ et elle paie 50 $ par mois pour son assurance automobile. Suppose que son revenu net représente environ 83 % de son revenu brut. Parmi ses objectifs, Emma veut épargner 10 % de son revenu net.

Dresse un budget mensuel pour Emma. Estime les frais fixes et les frais variables qui ne sont pas mentionnés. Présente le budget à l'aide de graphiques ou de tableaux et de notes explicatives.

1. Applique les recommandations pour un logement à prix abordable pour répondre aux questions suivantes.

   a) Combien Karolane peut-elle consacrer à son loyer si elle a un revenu mensuel brut de 2 400 $?

   b) Quel loyer Marc peut-il envisager si son revenu annuel brut est de 36 000 $?

   c) Quel montant René et Béatrice peuvent-ils consacrer à leurs coûts d'habitation si le revenu annuel brut de René est de 45 000 $ et celui de Béatrice est de 37 000 $?

2. Rose habite chez ses parents. Son budget pour les mois d'avril, mai et juin se présente comme suit :

Dépenses	Avril	Mai	Juin
Loisirs	45 $	18 $	120 $
Vêtements	35 $	48 $	135 $
Cadeaux	25 $	55 $	30 $
Divers	15 $	18 $	21 $

   Détermine la moyenne des montants pour chaque catégorie de dépenses. Sers-toi de ces moyennes pour prévoir les montants de chaque catégorie en juillet.

3. **a)** Donne trois exemples de frais fixes.
   b) Donne trois exemples de frais variables.

4. Le graphique à bandes doubles suivant illustre les dépenses de Kelly en juin.

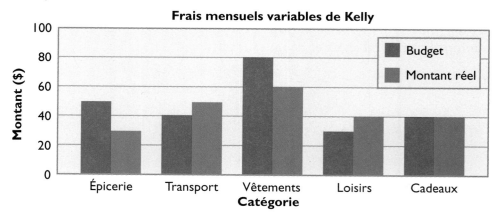

Frais mensuels variables de Kelly

   a) Dans quelles catégories Kelly a-t-elle dépassé son budget ?
   b) Selon le graphique, quelle est la somme des montants prévus par Kelly pour ses frais variables ?
   c) Selon le graphique, quelle est la somme des montants dépensés par Kelly pour ses frais variables ?
   d) En général, Kelly a-t-elle dépassé son budget dans les catégories de frais variables illustrées ?

5. Voici le budget de Mia. Elle va à l'école secondaire et travaille à temps partiel.

	A	B	C
	Revenu mensuel net	Budget ($)	Montant réel ($)
1			
2	Total	480	480
3	Dépenses mensuelles		
4	Frais fixes		
5	Épargne	68	40
6	Paiement de voiture	85	85
7	Assurance automobile	105	105
8	Frais variables		
9	Restaurant	35	45
10	Téléphone (appels interurbains)	20	10
11	Transport (essence, huile)	50	48
12	Transport (entretien)	0	30
13	Vêtements	85	55
14	Loisirs		40
15	Total des dépenses mensuelles		

a) Combien d'argent Mia doit-elle prévoir pour ses loisirs si elle veut avoir un budget équilibré ?

b) Nomme les catégories I), II), III), IV) et V) du graphique à bandes doubles suivant à partir des montants prévus et réels des frais variables de Mia.

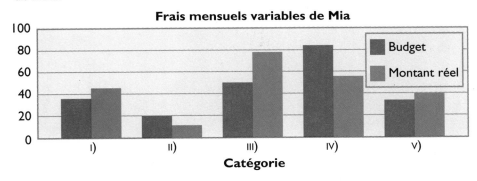

Frais mensuels variables de Mia

c) Dans quelles catégories Mia a-t-elle trop dépensé ?

d) Dans quelles catégories Mia a-t-elle dépensé moins que ce qu'elle avait prévu ?

e) Mia tente de mettre de côté 10 % de son revenu chaque mois. Quel pourcentage de son revenu a-t-elle réussi à épargner ?

f) Combien d'argent lui reste-t-il en surplus à la fin du mois ?

g) Si elle met tout l'argent en f) dans son épargne, aura-t-elle économisé au moins 10 % de son revenu mensuel ?

h) Quels changements Mia devrait-elle apporter à son budget ? Pourquoi ?

7 — La mesure et l'estimation

Dans ce chapitre, tu vas :
– mesurer des longueurs et des distances en unités métriques et impériales ;
– estimer des longueurs et des distances à partir de points de référence personnels ;
– estimer des capacités en unités métriques ;
– estimer de grands nombres à partir d'une représentation visuelle.

Vers la fin du chapitre, tu vas utiliser les connaissances acquises tout le long du chapitre pour estimer les dimensions d'édifices de ta localité.

7.1 — Le système métrique

Quelles mesures pourrais-tu prendre :

- avant de décider de déménager ?
- si tu emménageais dans un nouvel endroit ?
- une fois dans le nouvel appartement ou la nouvelle maison ?

Quelle unité de mesure utiliserais-tu pour chaque mesure que tu as nommée ?

Analyse ●

Il est important de choisir une unité appropriée lorsqu'on mesure un objet. On désire parfois exprimer une mesure dans plus d'une unité. Par exemple, Claire vient de s'acheter une maison. Dans la cuisine, elle mesure la hauteur du plancher jusqu'au bas de l'armoire, car elle veut acheter un réfrigérateur qui entrera dans l'espace prévu. La hauteur est de 175 cm. Claire pourrait aussi indiquer 1,75 m.

Tu peux exprimer en petites unités métriques une mesure donnée en grandes unités métriques. Il suffit de multiplier la mesure par la puissance de 10 appropriée : 10, 100 ou 1 000.

Tu peux exprimer en grandes unités métriques une mesure donnée en petites unités métriques. Pour ce faire, divise la mesure par une puissance de 10 appropriée.

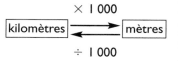

Puisque 1 000 m est égal à 1 km, tu peux exprimer en mètres une mesure donnée en kilomètres. Il faut multiplier la mesure par 1 000.
1,47 km = 1 470 m

1. Afin de recueillir des fonds pour une œuvre de bienfaisance, une classe de 12e année a marché 6,5 km. Quelle est cette distance en mètres?

2. Tu veux convertir une mesure de la première unité dans la deuxième unité. Quelle opération dois-tu faire dans chaque cas?
   a) des mètres en centimètres
   b) des mètres en millimètres
   c) des kilogrammes en grammes
   d) des litres en millilitres

3. Sylvain a commandé 650 g de fromage. Exprime cette masse en kilogrammes.

kilo
hecto
déca
unité
déci
centi
milli

Passe à l'action •

4. Quelle unité métrique utiliserais-tu pour mesurer ce qui suit?
   a) la longueur d'une planche à roulettes
   b) la longueur d'une pièce dans une maison
   c) la longueur d'une piste de ski
   d) l'épaisseur d'une pièce de 1 $
   e) la masse d'une pomme
   f) ta masse
   g) la masse d'une lettre
   h) la capacité d'une canette de boisson gazeuse
   i) la capacité d'une baignoire
   j) la capacité d'un seau

5. **Vérifie tes compétences** Multiplie mentalement.
   a) 38 × 10
   b) 4,58 × 100
   c) 2,4 × 1 000
   d) 0,435 × 10
   e) 4,29 × 100
   f) 0,38 × 1 000

6. **Vérifie tes compétences** Divise mentalement.
   a) 385 ÷ 10
   b) 432 ÷ 100
   c) 9 436 ÷ 1 000
   d) 32,5 ÷ 10
   e) 43,9 ÷ 100
   f) 56,4 ÷ 1 000

7. Le nombre inconnu sera-t-il plus grand ou plus petit que le nombre connu? Copie les équations et résous-les.
   a) 3 m = ◻ cm
   b) 28 cm = ◻ mm
   c) 2,4 km = ◻ m
   d) 485 mm = ◻ cm
   e) 4 576 m = ◻ km
   f) 35 cm = ◻ m
   g) 2,4 m = ◻ mm
   h) 18 cm = ◻ mm
   i) 2 495 mm = ◻ m
   j) 2,4 m = ◻ cm

8. Pour chacune des paires suivantes, indique la mesure qui est la plus grande :
   a) 2,7 km ou 270 cm
   b) 32,5 cm ou 0,435 m
   c) 45 mm ou 5 cm
   d) 4 007 m ou 3,8 km
   e) 4 300 mm ou 403 cm
   f) 300 km ou 30 000 cm
   g) 5 kg ou 0,5 g
   h) 0,67 kg ou 67 g
   i) 8 300 mL ou 7 L
   j) 250 mL ou 0,025 L

9. a) Un bâton de rouge à lèvres mesure 6,6 cm de longueur. Quel calcul ferais-tu pour exprimer cette longueur en millimètres ?
   b) Un bâton de rouge à lèvres mesure 2,7 cm de diamètre et 6,6 cm de longueur. On te demande de construire une boîte pour présenter 24 bâtons de rouge à lèvres sur une seule rangée pour le comptoir d'un magasin. Quelles seront la longueur et la largeur de la boîte ? Pourquoi ?
   c) Combien de boîtes comme celle en b) pourrais-tu placer sur un comptoir d'une largeur de 0,5 m et d'une longueur de 1 m ?

10. a) Le diamètre d'une pièce de 25 ¢ est de 18 mm. Quel calcul ferais-tu pour exprimer cette mesure en centimètres ? Pourquoi ?
    b) Combien de pièces de 25 ¢ pourrais-tu mettre sur une feuille de plastique de 16 cm sur 16 cm ? Les pièces sont à plat les unes à côté des autres.

11. a) Explique ton calcul pour convertir 12 km en mètres.
    b) Explique ton calcul pour convertir 535 m en kilomètres.

12. a) Un joueur de basket-ball mesure 196 cm. Exprime cette taille en mètres.
    b) Lucie mesure 1,53 m. Quelle est sa taille en centimètres ?

13. La voiture de course de Cornélia est tombée en panne à seulement 450 m de la ligne d'arrivée d'une course de 25 km. Quelle distance en kilomètres Cornélia a-t-elle parcourue avant de tomber en panne ?

14. Le nombre inconnu sera-t-il plus grand ou plus petit que le nombre connu ? Copie les équations et résous-les.
    a) 5 L = ▢ mL
    b) 2 500 mL = ▢ L
    c) 1,36 L = ▢ mL
    d) 850 mL = ▢ L
    e) 7,1 L = ▢ mL
    f) 5 525 mL = ▢ L

15. a) Combien de millilitres y a-t-il dans 4 L de lait ?
    b) Combien de millilitres y a-t-il dans 1,5 L d'eau ?
    c) Quel calcul as-tu fait pour convertir les litres en millilitres ?

16. a) Combien de litres y a-t-il dans une boîte de soupe de 540 mL ?
    b) Combien de litres y a-t-il dans une bouteille de ketchup de 750 mL ?
    c) Quel calcul as-tu fait pour convertir les millilitres en litres ?

17. Pierre prépare une sauce aux tomates pour son restaurant. Il a besoin de 16 tomates. Chaque tomate pèse environ 200 g. Les tomates coûtent 3,79 $/kg. Quel sera le coût des 16 tomates ?

7.2 — La mesure des longueurs

Fais une recherche •

Quelles unités de mesure utilise-t-on en général dans les magasins suivants ?

• un magasin de revêtement de sol
• une cour à bois
• un magasin de vêtements
• un magasin de tissus
• un magasin de peinture et de papier peint
• une quincaillerie

Analyse •

Avant d'adopter le système métrique, le Canada utilisait les unités impériales de longueur, c'est-à-dire les pouces, les pieds, les verges et les milles. On utilise encore ces unités. Par exemple, au cours d'un match de football, tu pourrais entendre qu'un demi offensif a gagné cinq verges sur un jeu. Une voisine pourrait te dire qu'elle a acheté des colombages de 8 pieds dans une cour à bois.

Les unités du système métrique sont liées par des multiples de 10.
Les unités du système impérial sont liées par différents multiples.
Dans le système impérial, 12 pouces = 1 pied, ou 12 po = 1 pi

$$3 \text{ pieds} = 1 \text{ verge}$$
$$1\,760 \text{ verges} = 1 \text{ mille}$$

Exemple 1

Quelle unité ou quelles unités impériales conviendraient pour mesurer :

a) la taille d'une joueuse de basket-ball ?
b) la longueur d'une voiture ?
c) la largeur d'une jante de roue ?
d) la distance entre Kingston et Hamilton ?

Solution

a) des pieds et des pouces   **b)** des pieds ou des verges
c) des pouces   **d)** des milles

On utilise les petites unités pour les petites longueurs et les grandes unités pour les grandes longueurs. De cette façon, on évite les très petites fractions et les très grands nombres.

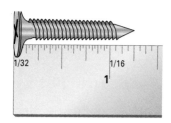

Dans le système métrique, on exprime des parties d'unités par des nombres décimaux. Par exemple, la largeur de la mine d'un crayon est de 0,5 mm.

Dans le système impérial, on exprime des parties d'unités en fractions. Par exemple, la longueur d'une vis est de $1\frac{1}{4}$ po.

Exemple 2

Quelle est la longueur de chaque clou ?

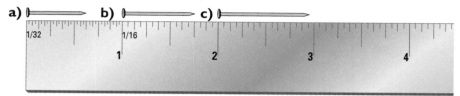

Solution

a) $\frac{5}{8}$ de pouce   **b)** $\frac{3}{4}$ de pouce   **c)** $\frac{15}{16}$ de pouce

Exemple 3

Mesure chaque distance en pouces et en centimètres :
a) la longueur d'une carte d'assurance maladie de l'Ontario
b) le diamètre d'un disque compact
c) la longueur d'un billet de 5 $

Solution

a) La longueur d'une carte d'assurance maladie de l'Ontario est de $3\frac{3}{8}$ po et de 8,6 cm.

b) Le diamètre d'un disque compact est de $4\frac{3}{4}$ po et de 12 cm.

c) La longueur d'un billet de 5 $ est de 6 pouces et de 15,2 cm.

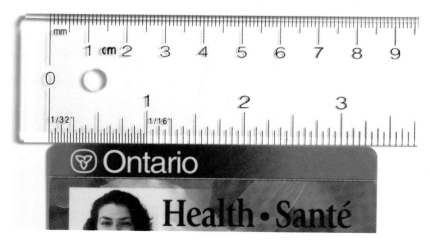

Passe à l'action

1. Quelle unité impériale conviendrait le mieux pour chaque mesure?
   a) le diamètre d'un tuyau de lavabo
   b) la diagonale d'un écran de téléviseur
   c) la hauteur d'un gymnase
   d) la longueur d'un porte-monnaie
   e) la distance entre ta maison et la bibliothèque la plus proche

2. Indique chaque longueur en pouces, en pieds ou en verges selon l'unité la plus appropriée:
   a) la largeur de ton pouce
   b) l'envergure de ta main
   c) la largeur de l'ongle de ton petit doigt
   d) ta taille
   e) l'envergure de tes bras
   f) ta taille du sol jusqu'à tes hanches
   g) ta taille du sol jusqu'à tes épaules

3. Indique chaque longueur de l'exercice 2 en centimètres ou en mètres, selon l'unité la plus appropriée.

4. Mesure la longueur des objets suivants. Exprime les mesures en millimètres et en centimètres:
   a) la clé d'une maison   b) un trombone
   c) une vis   d) un crayon-feutre

5. La cour à bois vend du bois en unités impériales. Il y a du contreplaqué en panneaux de 4 pi sur 4 pi et en panneaux de 4 pi sur 8 pi. Explique ces dimensions.

6. On vend des planches de cèdre dans ces dimensions:

   2 po sur 6 po sur 8 pi $1\frac{1}{4}$ po sur 6 po sur 8 pi

   2 po sur 6 po sur 10 pi $1\frac{1}{4}$ po sur 6 po sur 10 pi

   2 po sur 6 po sur 12 pi $1\frac{1}{4}$ po sur 6 po sur 12 pi

   2 po sur 6 po sur 16 pi $1\frac{1}{4}$ po sur 6 po sur 16 pi

   a) Explique ces dimensions.
   b) Tu dois couvrir une terrasse de 20 pi sur 16 pi. Quelles planches choisiras-tu et combien t'en faudra-t-il de chaque sorte?

7. a) Nomme cinq articles qu'on vend en unités impériales à la quincaillerie.
   b) Nomme cinq articles qu'on vend en unités métriques à la quincaillerie.

8. Le garage de Robert mesure 5,4 m de long, 3 m de large et 2 m de haut. Il désire acheter une camionnette. D'après la brochure, la camionnette mesure 4 915 mm de long, 1 865 mm de large et 1 710 mm de haut. La camionnette peut-elle entrer dans le garage? Comment le sais-tu?

9. Raffa fait des costumes pour une troupe de danse. Elle a besoin de 170 cm de tissu pour chacune des jupes. Le tissu coûte 12,95 $/m. Détermine le coût, avant taxes, du tissu nécessaire pour faire neuf jupes.

7.3 — L'estimation des longueurs

Une façon efficace d'estimer la taille d'un objet consiste à le comparer avec un autre objet dont tu connais la taille.

Le diamètre d'une pièce de 1 $ est d'environ un pouce.

L'épaisseur d'une pièce de 10 ¢ est d'environ un millimètre.

Fais une recherche •••••••••••••••••••••••••••••••••••••••

Pour chacune des longueurs suivantes, indique un objet ou une distance qui a à peu près cette longueur.

1 cm	10 cm	30 cm	1 m
1 pi	1 verge	6 pi	

Analyse ••

1. Estime les mesures suivantes en unités métriques. Pour ce faire, compare-les à quelque chose que tu connais :
   a) la longueur d'un crayon
   b) la largeur d'une enveloppe d'affaires
   c) la distance autour de ton poignet
   d) la longueur de ton bras
   e) la longueur de ta classe
   f) la diagonale d'un écran d'ordinateur

2. Estime chaque mesure de l'exercice 1 en unités impériales. Pour ce faire, compare-les à quelque chose que tu connais.

3. Choisis l'estimation la plus appropriée dans chaque cas.

a) L'épaisseur d'une tranche de pain est d'environ :
12 mm   12 cm   12 m   12 km

b) La largeur d'une rue est d'environ :
50 cm   50 mm   50 m   5 m

c) La hauteur de la Tour du CN à Toronto est d'environ :
55 m   550 m   5 500 m   55 000 m

d) La hauteur d'une porte normale est d'environ :
0,2 m   20 m   2 m   0,02 m

4. Estime en unités métriques :

a) la longueur d'une planche à roulettes
b) la longueur d'un sandwich de 12 po
c) la longueur d'un téléphone cellulaire
d) la hauteur d'une poignée de porte
e) la hauteur d'un plafond

5. Choisis l'estimation la plus appropriée dans chaque cas.

a) La largeur d'une pizza format « extra-grand » est d'environ :
2 po   2 pi   2 verges   2 milles

b) Le diamètre d'une roue d'une bicyclette à 21 vitesses est d'environ :
24 po   24 pi   2 verges   3 pi

c) La hauteur d'une maison de deux étages est d'environ :
$2\frac{1}{2}$ pi   25 pi   25 verges   250 po

d) La longueur d'une brique utilisée pour la construction d'une maison est d'environ :
8 po $\frac{1}{2}$ po   1 pi $\frac{1}{2}$ pi

6. Estime en unités impériales :

a) la hauteur d'une porte
b) la hauteur d'un classeur à anneaux
c) la largeur d'un tapis de voiture
d) la longueur d'un tapis qui recouvrirait le plancher du corridor de ton école
e) la longueur d'une camionnette

7. Une compagnie aérienne autorise les bagages à main de dimensions de 55 cm sur 40 cm sur 23 cm. Trouve ou construis une boîte ou un objet qui correspond à ces dimensions.

L'estimation des capacités

Une **capacité** est une quantité qu'un récipient peut contenir.

Comme avec les longueurs, une façon efficace d'estimer la capacité d'un objet consiste à comparer l'objet avec un autre objet que tu connais.

Un carton à lait de 1 L a une capacité de 1 L.

Une cuillère à thé a une capacité d'environ 5 mL.

Fais une recherche •••••••••••••••••••••••••••••••

Pour chacune des capacités suivantes, indique un objet qui a à peu près cette capacité :

15 mL   350 mL   500 mL   2 L   10 L

Analyse ••

1. Choisis l'unité la plus appropriée, le millilitre ou le litre, pour décrire la capacité de chaque objet. Explique ton choix :
   a) une canette de boisson gazeuse   **b)** une piscine
   c) une bouteille de shampooing   **d)** une machine à laver

2. Nomme au moins un type de récipient qui peut contenir chacune des quantités suivantes :
   a) 5 mL   **b)** 250 mL   **c)** 500 mL
   d) 1 L   **e)** 10 L   **f)** 50 L

Passe à l'action •••••••••••••••••••••••••••••••••

3. Choisis la mesure qui représente le mieux la capacité de chacun des objets suivants :
   a) la capacité du réservoir à essence d'une voiture est d'environ
       5 L   500 L   50 L   5 000 L
   b) la quantité de dentifrice dans un tube neuf est d'environ
       0,75 mL   7,5 mL   75 mL   750 mL
   c) la capacité d'un aquarium de maison est d'environ
       0,7 L   7 L   70 L   700 L
   d) la capacité d'une canette de boisson gazeuse est d'environ
       0,35 mL   3,5 mL   35 mL   350 mL

e) La capacité d'un bol de céréales est d'environ :

2 mL   20 mL   200 mL   2 000 mL

f) La capacité d'une machine à laver est d'environ :

4 mL   40 mL   4 L   40 L

g) La capacité d'un pot de peinture utilisé pour peindre une chambre est d'environ :

2 mL   2 L   4 L   6 L

h) La quantité d'eau dans un seau plein est d'environ :

5 mL   50 mL   5 L   50 L

i) La quantité de farine utilisée pour faire une pâte à tarte est d'environ :

0,625 mL   6,25 mL   62,5 mL   625 mL

4. Estime la capacité de chaque objet :

a) une tasse à café
b) un évier de cuisine
c) une piscine
d) une baignoire standard
e) une cuillère à soupe
f) une baignoire à remous pour quatre personnes

5. Mélanie a fait huit dons de sang au cours des dernières années. Elle a donné 600 mL de sang chaque fois. Combien de litres de sang a-t-elle donnés en tout ?

6. Sur une boîte de concentré de jus d'orange, on indique qu'il faut mélanger le contenu avec de l'eau pour obtenir 2 L de jus. Si la boîte contient 500 mL de concentré, combien de litres d'eau doit-on ajouter ?

7. La propriétaire d'un magasin de produits naturels doit remplir le plus possible de bouteilles de 200 mL avec du shampooing aux herbes provenant d'un contenant de 40 L plein. Combien de bouteilles devrait-elle pouvoir remplir ?

8. Pour préparer son jus de fruits maison, Julien mélange 1,5 L de jus de pomme, 30 mL de jus de mûre sauvage et 125 mL de jus de prune dans un contenant de 3 L. Combien d'eau doit-il ajouter pour remplir le contenant ?

9. Quelle format de pot de peinture choisirais-tu pour peindre ce qui suit ? Pourquoi ?

a) une table de pique-nique
b) un salon
c) une bicyclette
d) le plancher d'un garage

7.5 — L'estimation de grands nombres

Selon toi, combien y a-t-il de numéros de téléphone dans une page de l'annuaire téléphonique ? Combien y a-t-il de numéros de téléphone dans tout l'annuaire téléphonique ?

Analyse

Tu peux parfois faire une estimation assez précise si tu estimes par parties. Par exemple, pour estimer le nombre de personnes dans une grande salle de réception, tu pourrais d'abord estimer le nombre moyen de personnes assises à une table, puis multiplier ce nombre par le nombre approximatif de tables.

Exemple

Environ combien de personnes y a-t-il dans cette photo ?

Solution

Il y a environ 40 personnes dans un huitième de la photo. Par conséquent, il y a environ 320 personnes (40 × 8) dans toute la photo.

1. a) Estime le nombre de voitures dans ce stationnement. Explique.

  b) Selon toi, combien y a-t-il de personnes dans le centre commercial ? Explique.

2. Environ combien de pièces de 25 ¢ pourrais-tu mettre à plat sur cette page ? Explique.

3. a) Environ combien de fenêtres a cet édifice de 11 étages ? On suppose que les côtés opposés ont le même nombre de fenêtres que ceux que l'on voit. Explique.

  b) Selon toi, environ combien de personnes vivent dans cet édifice ? Explique.

4. Explique la façon dont tu pourrais estimer le nombre de livres sur les étagères :

  a) de ta classe   **b)** de la bibliothèque de l'école

  Fais ces deux estimations.

5. Indique les hypothèses que tu as faites aux exercices 1 à 4. Quel effet ont ces suppositions sur la justesse de tes estimations ?

Gros plan sur… les commis de magasin de décoration

Claudine travaille dans un magasin qui vend des décors de fenêtres. Elle adore son travail qui consiste à aider les gens à choisir le style, la couleur et le tissu des décors de fenêtres.

Tous les décors de fenêtres sont faits sur mesure. Il est essentiel de prendre des mesures précises. Une fois que les gens ont choisi le style, Claudine leur explique la façon de mesurer leurs fenêtres.

Pour un store avec fixations intérieures, il faut mesurer la fenêtre elle-même, c'est-à-dire sans le cadre. Pour déterminer les dimensions du store, Claudine doit soustraire $\frac{1}{8}$ de pouce à la longueur et à la largeur de la fenêtre. Pour connaître le prix des stores, elle cherche ensuite les dimensions pour le style choisi dans le livre de commandes.

1. Un client commande les stores suivants, avec fixations intérieures, de style 3 402 et de couleur taupe-36 :

   3 stores de 52 po sur $39\frac{7}{8}$ po

   1 store de 80 po sur $70\frac{5}{8}$ po

   3 stores de $56\frac{1}{4}$ po sur $42\frac{3}{4}$ po

   1 store de $52\frac{3}{4}$ po sur $36\frac{5}{16}$ po

   a) Détermine les mesures (longueur sur largeur) des stores que Claudine va commander. Utilise une règle pour t'aider.

   b) Détermine le prix de chaque store que Claudine va commander.

Style 3 402		Longueur (pouces) plus grande ou égale au premier nombre, plus petite que le deuxième nombre			
Prix		10–30	30–50	50–70	70–90
Largeur (pouces) plus grande ou égale au premier nombre, plus petite que le deuxième nombre	10–30	42 $	84 $	126 $	168 $
	30–50	78 $	162 $	186 $	252 $
	50–70	120 $	180 $	236 $	276 $
	70–90	162 $	248 $	270 $	312 $

   c) La TPS et la TVP s'ajoutent au prix. Calcule le coût total de la commande des huit stores.

   d) Claudine doit percevoir un acompte qui représente 40 % du prix de la commande. Combien le client doit-il verser immédiatement ? Combien paiera-t-il au moment où il ira chercher sa commande ?

7.7 ⊸ **Tour d'horizon : Les estimations**

1. Choisis un édifice en brique dans ta localité.

   a) Estime le nombre de briques qu'il y a sur les murs extérieurs de l'édifice.

   b) Mesure la longueur et la hauteur d'une brique.

   c) Estime les dimensions de l'édifice à partir des dimensions de la brique.

   d) As-tu utilisé des unités métriques ou impériales ? Explique ton choix.

2. Choisis un édifice dans ta localité qui n'est pas en briques.

   a) Estime les dimensions de l'édifice.

   b) Estime le nombre de briques qu'il faudrait pour couvrir l'extérieur de l'édifice.

7.8 — Résumé

1. Indique l'unité de mesure métrique la plus appropriée pour chacune des mesures suivantes :

   a) la largeur d'une main
   b) la largeur d'un corridor de ton école
   c) la distance parcourue par une coureuse de fond
   d) la taille d'une personne
   e) le diamètre d'une paille

2. Copie les équations et résous-les :

   a) 2 m = ▢ cm
   b) 48 cm = ▢ mm
   c) 3,2 km = ▢ m
   d) 392 mm = ▢ cm
   e) 3 450 m = ▢ km
   f) 48 cm = ▢ m

3. Mesure le diamètre de chacune des pièces de monnaie suivantes. Indique-le avec les unités métriques et impériales appropriées :

   a) une pièce de 1 ¢
   b) une pièce de 5 ¢
   c) une pièce de 10 ¢
   d) une pièce de 25 ¢
   e) une pièce de 1 $
   f) une pièce de 2 $

4. Mesure chaque distance. Indique-la avec les unités impériales et métriques appropriées :

   a) la longueur de ce livre
   b) la largeur de ta classe
   c) la hauteur du tableau au-dessus du sol

5. Frédéric a décidé de faire de la course à pied tous les jours. Le premier jour, il a parcouru une distance de 3 km. Il augmente la distance parcourue de 600 m chaque jour.

   a) Quelle distance parcourra-t-il le quatrième jour ?
   b) Quelle distance totale aura-t-il parcourue après quatre jours ?

6. Choisis la mesure la plus appropriée pour les longueurs suivantes :

   a) la longueur d'une brosse à dents
      16 m   16 cm   16 mm
   b) la longueur d'un trombone
      3 mm   3 cm   3 m
   c) la longueur d'un nouveau-né
      50 cm   5 m   50 mm
   d) la hauteur d'une maison
      8 m   0,8 m   80 m

7. Quelle est l'unité impériale la plus appropriée pour chaque mesure ?

   a) la largeur d'un disque compact
   b) la taille d'une personne
   c) l'épaisseur d'un magazine
   d) la hauteur d'un plafond dans une maison
   e) la distance parcourue par une voiture dans une journée

8. Choisis la mesure la plus appropriée pour les objets suivants :

   a) la largeur d'une fenêtre

   3 po $\quad$ $36\frac{1}{2}$ po $\quad$ 360 po

   b) la longueur d'un matelas

   3 verges $\quad$ 37 po $\quad$ 7 pi

   c) la hauteur d'un poteau de téléphone

   9 po $\quad$ 9 pi $\quad$ 9 verges

9. Estime chaque dimension en unités impériales et en unités métriques :

   a) la longueur d'une voiture

   b) la largeur d'une voiture

   c) la hauteur d'un plafond dans une école

10. Choisis la mesure la plus appropriée dans chaque cas :

    a) la quantité d'essence dans un réservoir plein d'une motocyclette

    13 mL $\quad$ 13 L $\quad$ 130 L

    b) la quantité de café qu'on vient de verser dans une tasse

    8 L $\quad$ 10 mL $\quad$ 250 mL

    c) la quantité d'eau de vaisselle dans l'évier d'une cuisine

    15 mL $\quad$ 15 L $\quad$ 1,5 L

11. Copie les équations et résous-les :

    a) 3 L = ⬜ mL $\qquad$ **b)** 1,25 L = ⬜ mL $\qquad$ **c)** 750 mL = ⬜ L

12. Environ combien de points y a-t-il dans la photo de la tapisserie ci-dessous ? Les dimensions réelles sont de 21 cm sur 16 cm. Comment as-tu fait ton estimation ?

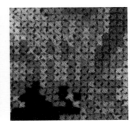

Taille réelle

13. **a)** Pourquoi est-il important de connaître les deux systèmes de mesure, c'est-à-dire le système impérial et le système métrique ?

    b) La plupart des pays utilisent le système métrique. Pourquoi, selon toi ?

8 — La mesure et le dessin en deux dimensions

Dans ce chapitre, tu vas :
– appliquer le théorème de
  Pythagore pour dessiner des
  figures avec des angles droits ;
– calculer des aires et des
  périmètres à partir de
  diagrammes ;
– estimer l'aire et le périmètre
  de grandes figures ;
– explorer la façon dont l'aire
  d'une figure change quand les
  dimensions changent ;
– faire des dessins à l'échelle.

Vers la fin du chapitre, tu vas
appliquer ce que tu as appris
à la conception d'un terrain
de jeu.

8.1 Le théorème de Pythagore

Fais une recherche •••

Tu auras besoin de deux bouts de ficelle : un de 3 pi et un autre de 4 pi.

Étends les bouts de ficelle sur le plancher. Tiens une extrémité de chaque bout de ficelle. Déplace un bout de ficelle de façon à former un angle droit. Comment peux-tu savoir si tu as un angle droit ?

Mesure la distance entre l'extrémité libre d'un bout de ficelle et l'extrémité libre de l'autre bout de ficelle.

Analyse •••

1. Le triangle 3-4-5 est un triangle particulier. Sur du papier ou à l'aide d'un logiciel de géométrie, suis les instructions suivantes.

   a) Vers le milieu de la page, dessine un segment de droite de 3 cm.

   b) À une extrémité du segment de droite, dessine un segment de droite de 4 cm qui forme un angle droit avec le premier. Comment peux-tu savoir si tu as un angle droit ?

   c) Trace un segment de droite pour former le triangle. Selon toi, quelle sera la longueur de ce côté ? Mesure-le pour vérifier.

   d) Dessine un carré à partir de chaque côté du triangle. Assure-toi que les coins forment des angles droits.

   e) Sers-toi de la formule $A = c^2$ (aire = côté × côté) pour calculer l'aire des trois carrés.

   f) Indique la relation qui existe entre les aires des trois carrés.

L'**hypoténuse** est le côté le plus long d'un triangle rectangle. C'est le côté opposé à l'angle droit.

Le **théorème de Pythagore** explique la relation entre les longueurs des côtés d'un triangle rectangle. Selon ce théorème, le carré de l'hypoténuse est égal à la somme des carrés des deux autres côtés.

$$\text{hypoténuse}^2 = (\text{côté } a)^2 + (\text{côté } b)^2$$
$$h^2 = a^2 + b^2$$

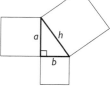

Exemple

Un champ de forme rectangulaire a des côtés de 36 m et 21 m. Mélanie veut marcher du point P au point R. Détermine la distance arrondie au dixième de mètre.

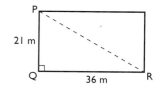

Solution

La distance entre le point P et le point R correspond à l'hypoténuse du triangle rectangle PQR.

$$h^2 = a^2 + b^2$$
$$= 36^2 + 21^2$$
$$= 1\,296 + 441$$
$$= 1\,737$$
$$h = \sqrt{1\,737}$$
$$h \doteq 41,7$$

La distance entre le point P et le point R est de 41,7 m.

Passe à l'action

2. Vérifie tes compétences Évalue.

a) $12^2 + 18^2$ b) $14^2 + 9^2$ c) $22^2 + 18^2$

d) $4,5^2 + 7,8^2$ e) $23,5^2 + 11,2^2$ f) $13,6^2 + 3,0^2$

3. Vérifie tes compétences Évalue. Arrondis tes réponses au dixième.

a) $\sqrt{45}$ b) $\sqrt{80}$ c) $\sqrt{120}$ d) $\sqrt{200}$ e) $\sqrt{250}$

4. Calcule la longueur de l'hypoténuse de chaque triangle. Au besoin, arrondis tes réponses au dixième de mètre près.

a)   b) 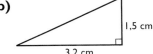   c)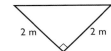

5. Jacinthe fabrique un cerf-volant avec les dimensions indiquées dans la figure. Quelle est la longueur, arrondie au dixième de centimètre, du bâton de bois qui servira de pièce de support?

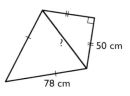

6. Félix construit un garage sur un plancher de 18 pi sur 24 pi.

a) Calcule la longueur de la diagonale du plancher rectangulaire.

b) Félix mesure la diagonale. Il obtient $29\frac{1}{2}$ pi. Est-ce que les coins du garage forment des angles droits? Explique.

7. Véronica trace le plan de la semelle de fondation d'une maison. La maison aura 36 pi sur 48 pi. Quelle doit être la longueur de la diagonale du rectangle si les coins forment des angles droits?

8. Angelo s'apprête à délimiter un terrain de jeu rectangulaire de 5 m sur 11 m. Explique la manière dont il peut utiliser le théorème de Pythagore pour s'assurer que les coins du terrain forment des angles droits.

8.2 — Le calcul du périmètre et de l'aire

Fais une recherche

Louise et André veulent refaire la décoration de leur salle de séjour en forme de « L ». Ils veulent mettre du bois franc préfini sur le plancher et fixer de nouvelles plinthes autour de la pièce. Aide-les à déterminer la quantité de matériaux requise.

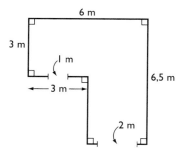

Analyse

○ **Exemple 1**

On installe une clôture autour de ce terrain rectangulaire. De combien de mètres de clôture a-t-on besoin ? Pourquoi devrait-on commander une plus grande quantité de clôture ?

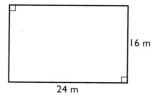

▶ **Solution**

Sers-toi de la formule du périmètre d'un rectangle.

$P = 2L + 2l$
$= 2(24) + 2(16)$
$= 48 + 32$
$= 80$

Il faut 80 m de clôture. Cependant, il est préférable d'en acheter plus pour tenir compte des pertes et du chevauchement. Il est aussi possible que la clôture se vende en panneaux de dimensions données.

○ **Exemple 2**

On recouvre de carreaux de céramique cette salle à manger d'un immeuble à bureaux.

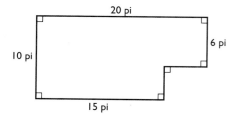

Détermine l'aire à couvrir. Chaque carreau de céramique mesure un pied carré. Essaie de déterminer le nombre de carreaux à commander.

▶ Solution

Détermine les mesures manquantes et divise le plancher en deux figures rectangulaires.

Sers-toi de la formule de l'aire d'un rectangle.

$A = Ll$ $A = Ll$
$\quad = 15 \times 10$ $\quad = 6 \times 5$
$\quad = 150$ $\quad = 30$

aire totale $= 150 + 30$
$\qquad\qquad = 180$

L'aire du plancher est 180 pi². Il faut donc prévoir 180 carreaux. Cependant, il y aura du coulis entre les carreaux. Cela change l'espace occupé par les carreaux. De plus, il est bon d'acheter plus de carreaux, car on devra en découper pour l'ajustement et on pourrait en casser. Enfin, les carreaux arrivent parfois en paquets d'un nombre déterminé.

Exemple 3

Dans l'appartement de copropriété de Jérémi, la salle de séjour est de forme rectangulaire avec une extrémité semi-circulaire toute vitrée. Détermine l'aire du plancher de cette pièce.

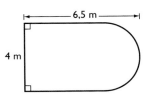

▶ Solution

Détermine les mesures manquantes et divise l'aire du plancher en deux figures : un rectangle et un demi-cercle.

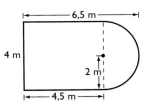

Sers-toi de la formule de l'aire d'un rectangle et de la formule de l'aire d'un cercle.

$A = Ll$ $A = \frac{1}{2}$ de πr^2
$\quad = 4,5 \times 4$ $\quad \doteq \frac{1}{2} \times 3,14 \times 2^2$
$\quad = 18$ $\quad = 6,28$

aire totale $= 18 + 6,28$
$\qquad\qquad = 24,28$

L'aire du plancher de la pièce est 24,28 m².

1. **Vérifie tes compétences** Associe chaque formule à sa description.

   a) $P = 2L + 2l$ **I)** l'aire d'un cercle
   b) $C = \pi d$ **II)** l'aire d'un rectangle
   c) $A = Ll$ **III)** le périmètre d'un rectangle
   d) $A = \pi r^2$ **IV)** le périmètre ou la circonférence d'un cercle

2. Pour mélanger du shampooing concentré pour tapis et de l'eau, tu dois connaître l'aire à nettoyer. Calcule l'aire de chaque tapis ou moquette.

   a)
   3,5 m

   b)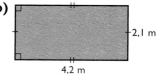
   2,1 m
   4,2 m

   c)
   3 m

   d)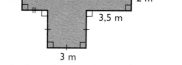
   2 m
   3,5 m
   3 m

3. Calcule la quantité de clôture ou de bordure nécessaire pour délimiter chacun des jardins.

   a)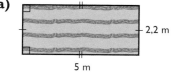
   2,2 m
   5 m

   b)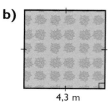
   4,3 m

   c)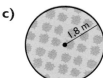
   1,8 m

   d)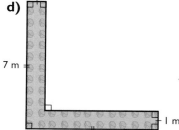
   7 m
   1 m

4. Détermine l'aire du plancher qui n'est pas couvert par le tapis rond.

   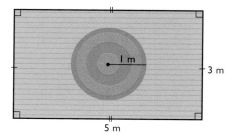
   1 m
   3 m
   5 m

5. Albert travaille pour une entreprise qui utilise des équipements lourds de voirie. Son employeur lui demande d'attacher un ruban d'avertissement jaune autour du périmètre de la bitumeuse goudronneuse. Qu'est-ce que l'employeur d'Albert veut dire?

6. Chanelle achète de la peinture pour son salon de forme rectangulaire. Il y a deux murs de 12 pi sur 8 pi et deux autres murs de 10 pi sur 8 pi. Il y a aussi une fenêtre de 4 pi sur 6 pi et une porte de 7 pi sur 4 pi.

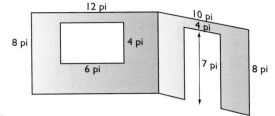

  a) Calcule l'aire à peindre.
  b) Un pot de peinture couvre 110 pi². Combien de pots de peinture Chanelle doit-elle acheter si elle veut appliquer deux couches de peinture?

7. Steve achète des carreaux de céramique et des plinthes pour le plancher de son solarium. La pièce mesure 12 pi sur 9 pi. Il y a deux portes de 3 pi de largeur.

  a) Calcule l'aire du plancher.
  b) Chaque carreau recouvre un pied carré. Il y a 12 carreaux dans une boîte. Steve planifie d'acheter 5 % de plus de carreaux pour tenir compte des bris. Combien de boîtes de carreaux doit-il acheter?
  c) Calcule le périmètre du plancher.
  d) Les plinthes se vendent en bandes de 8 pi. Combien de bandes de plinthes Steve doit-il acheter?

8. On construit une maison sur un lot de 68 pi sur 40 pi. La maison mesure 30 pi sur 25 pi. L'entrée d'auto mesure 15 pi sur 12 pi.

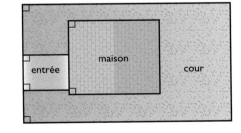

  a) Décris la façon dont tu peux calculer l'aire de la cour.
  b) Calcule l'aire de la cour.
  c) Le gazon précultivé se vend en plaques de $1\frac{1}{2}$ pi sur 6 pi. Combien faut-il de plaques de gazon pour couvrir toute la cour?

9. Un champ de courses a deux côtés droits et des extrémités semi-circulaires. On doit installer un garde-corps autour du champ de courses.

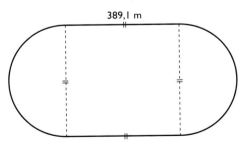

  a) Détermine la longueur du garde-corps requise, arrondie au mètre. Qu'y a-t-il de particulier à propos de la longueur?
  b) Si le garde-corps coûte 34,50 $/m, combien coûtera le garde-corps en tout?

8.3 — L'estimation du périmètre et de l'aire

Le conseil scolaire désire faire changer la clôture et le surfaçage de la cour d'école. En premier lieu, il veut faire une évaluation générale des coûts basée sur les dimensions estimées. Comment peux-tu estimer le périmètre de la cour de ton école? l'aire de la cour de ton école? De quoi as-tu besoin pour faire ces estimations?

Analyse ●

1. **a)** Estime la longueur et la largeur de ta classe.
   b) Estime le périmètre de ta classe.
   c) Estime l'aire de ta classe.
   d) Mesure la longueur et la largeur de ta classe.
   e) Calcule le périmètre et l'aire de ta classe.
   f) Comment pourrais-tu te servir de tes calculs pour estimer le périmètre et l'aire de ton école?
   g) Compare tes estimations avec les résultats de tes calculs aux parties a) à e). Quelles estimations sont proches de tes résultats?
   h) Analyse la façon dont tu pourrais améliorer tes techniques d'estimation.

Passe à l'action ●

2. Le conseil scolaire va faire installer du nouvel asphalte dans le stationnement de l'école.

   a) Estime l'aire du stationnement. Explique ce que tu as fait.
   b) Si le nouvel asphalte coûte 26,37 \$/m^2, estime le coût.

3. Ralph veut ouvrir un petit restaurant.

   a) Estime l'aire de plancher requise pour placer une table de 1 m^2 et quatre chaises.
   b) Estime l'aire de plancher requise pour placer 10 ensembles de tables et de chaises.
   c) Ralph veut avoir au moins 10 tables pour quatre personnes dans son restaurant. Quelle aire de plancher minimale doit-il prévoir pour la salle à manger de son restaurant? Comment as-tu trouvé ta réponse?

4. Tu dois transformer la cafétéria de ton école en café pour une soirée musicale.

   a) Dessine le plan de la cafétéria.

   b) Estime le nombre de tables avec quatre chaises tu peux placer dans la cafétéria.

   c) Combien de places assises environ y aura-t-il dans le café ?

   d) Explique ce que tu as fait pour estimer la quantité de tables et de chaises.

   e) Comment pourrais-tu obtenir une estimation plus précise ?

5. Estime le plus précisément possible le périmètre et l'aire d'une pièce à ton école ou chez toi.

6. Suppose que tu doives réaménager ta classe pour favoriser le travail en équipe. Tu penses installer des tables de 2 m sur 1 m avec 6 chaises pour chaque table.

   a) Fais un plan de ta classe.

   b) Estime l'aire requise pour une table et six chaises.

   c) Environ combien de tables pour six personnes peux-tu placer dans ta classe ?

   d) Penses-tu que ton aménagement serait fonctionnel ? Explique.

7. Si le gazon précultivé coûte 3,75 $/m^2, estime le coût pour recouvrir un des terrains de jeu de ton école.

8. Estime l'aire du trottoir d'un côté d'un pâté de maisons près de chez toi ou de ton école.

9. Dans la vie courante, quand doit-on tenir compte du périmètre ou de l'aire, selon toi ? Penses-tu que tu vas plus souvent estimer des mesures ou les calculer ?

Gros plan sur… la pose de revêtement de sol

Le métier d'Annick consiste à poser des revêtements de sol. Elle travaille pour une entreprise qui pose divers revêtements de sol d'intérieur et d'extérieur. Au travail, grâce aux conseils d'un installateur compétent, elle a appris à poser du carrelage, des carreaux de céramique, de la moquette et du parquet de bois franc.

1. Récemment, Annick a posé des carreaux de céramique sur la terrasse autour d'une piscine.

   a) Calcule l'aire recouverte.

   b) Chaque carreau mesure un pied carré et il y a 12 carreaux dans une boîte. Annick a calculé 5 % de carreaux de plus pour tenir compte des bris et pour laisser quelques carreaux de remplacement au client. Combien de boîtes de carreaux a-t-elle prévues pour ce travail?

   c) Une boîte de carreaux coûte 39 $ et seule la TPS s'applique à l'installation. Combien le client a-t-il payé pour l'installation des carreaux, sans compter les autres fournitures et la main-d'œuvre?

2. Annick a aussi installé une moquette dans une salle de séjour. Elle a dû fixer une bande de clouage autour de la pièce pour tenir la moquette en place.

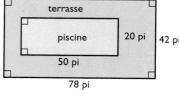

   a) Calcule le périmètre de la pièce.

   b) On achète les bandes de clouage en bouts de quatre pieds. Combien de bandes de clouage faut-il pour cette pièce?

   c) On doit toujours étendre la moquette dans le même sens et faire le moins de joints possible. La moquette se vend en rouleaux de 12 pi de largeur. Combien de pieds de moquette faut-il pour recouvrir cette pièce? Quelle est la quantité de moquette restante?

Les agrandissements

Fais une recherche

Qu'arrive-t-il à l'aire d'une photo rectangulaire si tu doubles la longueur et la largeur?

Qu'arrive-t-il à l'aire de la photo si tu triples la longueur et la largeur?

À l'aide d'un logiciel de dessin ou sur une feuille de papier, fais un dessin pour vérifier tes réponses.

Analyse

1. Lisa a photographié son petit frère. Sa grand-mère aime la photo et lui en demande une copie. La photo originale mesure 5 po sur 7 po. Lisa fait un agrandissement deux fois plus long et deux fois plus large que la photo originale. Calcule l'aire de la photo originale et l'aire de l'agrandissement. Indique de combien l'aire augmente quand les dimensions augmentent.

Passe à l'action

2. Michel a un vieil écran d'ordinateur qui mesure 11 po sur 9 po. Il s'achète un nouvel écran de 22 po sur 18 po.

   a) Décris la relation entre les dimensions du vieil écran et celles du nouvel écran.

   b) Calcule l'aire du vieil écran et celle du nouvel écran.

   c) Choisis la relation qui existe entre l'aire du nouvel écran et l'aire du vieil écran:

   I) deux fois plus grand

   II) quatre fois plus grand

   III) neuf fois plus grand

3. Stella aime jardiner. Elle a un potager de 2 m sur 5 m. Elle décide de l'agrandir. Il devient quatre fois plus long et quatre fois plus large.

   a) Calcule la longueur et la largeur du nouveau potager.
   b) Combien de fois le nouveau potager est-il plus grand que l'ancien potager ?

4. Une section de carte routière mesure 8 cm sur 7 cm. On agrandit cette section jusqu'à 24 cm sur 21 cm pour faire ressortir des détails.

   a) Combien de fois la section agrandie est-elle plus large que la section originale ? plus longue ?
   b) Combien de fois l'aire de la section agrandie est-elle plus grande que l'aire de la section originale ?
   c) Pour vérifier ta réponse en b), calcule les aires des sections originale et agrandie.

5. Un agrandissement d'une photo est 2,5 fois plus long et plus large que la photo originale. Combien de fois l'aire de l'agrandissement est-elle plus grande que l'aire de la photo originale ?

6. Jordan agrandit un terrain de jeu pour enfants. Le nouveau terrain devient six fois plus long et six fois plus large. Combien de fois l'aire du nouveau terrain de jeu est-elle plus grande que l'aire de l'ancien terrain de jeu ?

7. On triple les dimensions d'un écran de télévision. Montre que l'aire de l'écran augmente par un facteur de neuf.

8. Crystal veut une affiche d'une aire quatre fois plus grande que son affiche actuelle sur son chariot de crème glacée. Comment devra-t-elle changer la longueur et la largeur de son affiche ?

9. Rappelle-toi la formule de l'aire d'un cercle : $A = \pi r^2$. Une fenêtre circulaire a un diamètre de 0,4 m.

   a) Applique ce que tu as appris pour prédire la relation entre l'aire de cette fenêtre et l'aire de fenêtres ayant les rayons suivants.
   I) 0,2 m   **II)** 0,1 m   **III)** 0,4 m
   b) Calcule les aires pour vérifier tes prédictions.

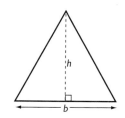

10. On détermine l'aire d'un triangle grâce à la formule suivante : $A = \frac{1}{2}bh$, où b et h sont les dimensions illustrées.

   a) À partir de tes connaissances, prédis la relation entre l'aire d'un vitrail triangulaire d'une base de 15 cm et d'une hauteur de 15 cm et l'aire d'un autre vitrail dont la base et la hauteur mesurent le double.
   b) Calcule les aires pour vérifier tes prédictions.

8.6 — Les dessins à l'échelle

Fais une recherche ●

Imagine qu'une feuille de $8\frac{1}{2}$ po sur 11 po est le plancher d'une salle de télévision de $8\frac{1}{2}$ pi sur 11 pi. Cette salle est située dans un appartement. Il y a une porte au centre de l'un des murs les plus courts. Il n'y a pas de fenêtre ni de garde-robe. Détermine la taille d'une télévision, d'un divan, d'un fauteuil, d'une table ou de tout autre meuble que tu pourrais insérer dans la salle de $8\frac{1}{2}$ po sur 11 po. Découpe des images et aménage de ton mieux la salle de télévision.

Analyse ●

En général, avant de construire un édifice, on trace un **dessin à l'échelle**. Les bleus employés en construction sont en fait des dessins à l'échelle détaillés. Pour vendre des maisons neuves, on présente souvent des plans d'étages. Ces plans sont moins détaillés que les dessins à l'échelle. Un dessin à l'échelle est un plan où toutes les dimensions sont proportionnelles à celles de l'objet original. Dans la partie « Fais une recherche », une feuille de papier de $8\frac{1}{2}$ po sur 11 po représentait un plancher de $8\frac{1}{2}$ pi sur 11 pi ; ainsi, l'échelle était de un pouce pour un pied.

Les dessins à l'échelle en deux dimensions montrent une seule surface, comme la façade d'un immeuble ou le plan d'étages d'une maison.

1. Le magasin de Sal mesure 24 m sur 18 m.

   a) À l'aide de l'échelle 1 cm pour 1 m, reproduis le plancher du magasin sur du papier à points au 1 cm. Indique l'emplacement de la porte.

   b) Il y a des étagères sur le mur droit du magasin, sauf à 0,75 m du fond. De même, il y a des étagères sur le mur gauche du magasin, sauf de 2 m à l'avant et de 0,75 m du fond. Toutes les étagères ont une profondeur de 0,5 m. Trace les étagères sur le plan à l'échelle.

   c) La chambre réfrigérée du magasin est située contre le mur arrière et mesure 17 m sur 0,75 m. Elle ne touche pas aux étagères des murs de côté. Trace la chambre réfrigérée sur le plan à l'échelle.

   d) La caisse est située sur le comptoir avant, qui mesure 0,5 m de profond et 2 m de long. Le comptoir est parallèle au mur droit, à 1,5 m des étagères de ce mur. Le bout du comptoir est placé contre le mur avant du magasin. Trace le comptoir sur le plan à l'échelle.

   e) Sal veut installer de nouvelles étagères autoportantes. Ces étagères mesurent 6 m de long et 1 m de large. Les étagères doivent être parallèles aux étagères du mur. Il faut laisser des allées d'au moins 1,5 m de large. Sers-toi de ton plan pour déterminer le nombre d'étagères que Sal peut ajouter ainsi que la façon de les disposer.

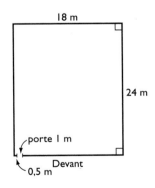

2. Vérifie tes compétences Complète chaque énoncé.

a) Si 1 m équivaut à 1 cm, alors 4,5 m équivalent à ▭ .

b) Si 1 m équivaut à 1 cm, alors 50 cm équivalent à ▭ .

c) Si 2 m équivalent à 1 cm, alors 1 m équivaut à ▭ .

d) Si 2 m équivalent à 1 cm, alors 6 m équivalent à ▭ .

e) Si 0,5 m équivaut à 1 cm, alors 1 m équivaut à ▭ .

f) Si 0,5 m équivaut à 1 cm, alors 4 m équivalent à ▭ .

3. a) Choisis une échelle appropriée pour faire un dessin à l'échelle du dessus de ton bureau. Utilise du papier à points.

b) Choisis une échelle appropriée pour faire un dessin à l'échelle de ta salle de classe. Utilise du papier à points.

c) Choisis une échelle appropriée pour faire un dessin à l'échelle d'un animal de ton choix. Utilise du papier à points.

d) Explique la façon dont tu as déterminé l'échelle pour chacun de tes dessins.

4. Fais un dessin à l'échelle de ta salle de classe. Utilise du papier à points et l'échelle déterminée à l'exercice 3 b) ou un logiciel de dessin et une échelle appropriée. Inclus les portes, les placards et les principaux meubles.

5. Choisis une pièce que tu aimerais aménager, comme une salle des médias, une salle d'amusement, une salle d'exercice et de musculature ou un solarium. Fais un plan à l'échelle de cette pièce sur du papier à points ou à l'aide d'un logiciel de dessin, à une échelle convenable. Indique les portes, les fenêtres, les meubles et le matériel.

Tour d'horizon : La conception d'un terrain de jeu

GÉ Tu fais partie d'un comité de voisinage qui vise à faire connaître les besoins de terrains de jeu pour jeunes enfants dans le quartier.

Le comité s'entend sur le fait qu'il devrait y avoir une pataugeoire circulaire clôturée ; deux carrés de sable, un dont les dimensions sont le double de celles de l'autre ; deux balançoires et deux glissoires, toutes deux conçues pour des groupes d'âge différents ; au moins trois bancs ; des arbustes et des fleurs ainsi qu'une poubelle.

Applique ce que tu as appris dans ce chapitre pour faire les étapes suivantes.

Détermine l'aire et la forme du terrain de jeu. Assure-toi qu'il contient tous les éléments mentionnés en plus de ceux que tu aimerais inclure. Fais un plan à une échelle convenable et trace tous les éléments.

La pataugeoire sera clôturée. Si tu clôtures aussi tout le terrain de jeu, quelle quantité de clôture faudra-t-il ?

Repère au moins trois différents coins à angle droit sur ton plan. Explique la manière dont tu peux vérifier que ce sont bien des angles droits.

8.8 — Résumé

1. Une tente a quatre cordes de support, comme dans la figure. Quelle est la longueur totale des cordes de support?

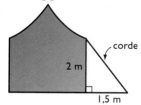

corde

2 m

1,5 m

2. Marie construit une maisonnette pour ses enfants. Le plancher mesure 6 pi sur 8 pi. Combien doit mesurer le segment AC pour que le coin B forme un angle droit?

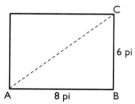

C

6 pi

A   8 pi   B

3. On doit poser des carreaux de céramique et des nouvelles plinthes dans une salle à manger de 10 pi sur 10 pi pour l'harmoniser à la cuisine adjacente. Il y a une ouverture de 4 pi qui donne sur la cuisine et une ouverture de 4 pi qui donne sur le vestibule.

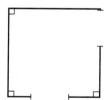

   a) Calcule l'aire du plancher.
   b) Chaque carreau couvre un pied carré et il y a 12 carreaux dans une boîte. Si on prévoit 5 % de carreaux supplémentaires pour tenir compte des bris, combien de boîtes doit-on acheter?
   c) Calcule le périmètre du plancher.
   d) Les plinthes se vendent en bandes de huit pieds. Combien de bandes devrait-on acheter?

4. Calcule le périmètre extérieur et intérieur de cet anneau.

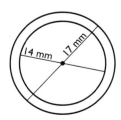

14 mm   17 mm

5. Il y a deux tapis dans ce salon et cette salle à manger à aire ouverte.

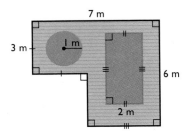

a) Calcule l'aire du plancher de la pièce.
b) Calcule l'aire de chaque tapis.
c) Calcule l'aire du plancher non couvert.
d) Le plafond a la même forme que le plancher. Calcule la longueur de la moulure nécessaire pour décorer tout le tour du plafond.

6. Explique la façon dont tu pourrais estimer l'aire d'un parc situé près de chez toi.

7. Un agrandissement est trois fois plus large et trois fois plus long que la photo originale. Combien de fois l'aire de l'agrandissement est-elle plus grande que l'aire de la photo originale ?

8. L'aire d'une nouvelle affiche pour un parc d'attractions est quatre fois plus grande que l'aire de l'ancienne affiche. Compare les dimensions de la nouvelle affiche avec celles de l'ancienne affiche.

9. Choisis une échelle appropriée pour faire un dessin à l'échelle d'un mur de ta classe, y compris les portes, les fenêtres, les placards et les tableaux qui se trouvent sur ce mur.

10. Un dessin à l'échelle du plancher d'une remise mesure 5 cm sur 8 cm. Les dimensions du plancher de la remise sont 50 fois plus grandes que sur le plan.
a) Fais le dessin à l'échelle. Indique les dimensions actuelles du plancher de la remise sur le plan.
b) Combien doit mesurer la diagonale du plancher de la remise pour que les coins de la remise forment des angles droits ?

La mesure et le dessin en trois dimensions

Dans ce chapitre, tu vas :
– estimer et calculer le volume
  et l'aire de prismes
  rectangulaires ;
– estimer et calculer le volume
  et l'aire de cylindres ;
– faire des dessins en trois
  dimensions ;
– construire des maquettes à
  l'échelle.

Vers la fin du chapitre, tu vas
planifier, concevoir et estimer
les coûts rattachés à
l'aménagement d'une pièce
d'une maison.

9.1 — Les prismes rectangulaires

Fais une recherche ●

Examine quelques emballages en forme de prismes rectangulaires comme ceux de l'illustration.

Quelles sont les caractéristiques d'un prisme rectangulaire?

Comment pourrais-tu calculer l'espace qu'occupe un prisme rectangulaire?

Comment pourrais-tu calculer l'aire de toutes les surfaces d'un prisme rectangulaire?

Analyse ●

L'espace qu'un objet occupe est son **volume.** La somme des aires de toutes les faces d'un objet est son **aire totale.**

Rappelle-toi que, pour calculer l'aire, on multiplie deux dimensions. On obtient des unités carrées. Pour calculer le volume, on multiplie trois dimensions. On obtient des unités cubes. Par exemple, « mètres × mètres × mètres » donne des mètres cubes (m^3).

○ ### Exemple I

Un lecteur de DVD a la forme d'un prisme rectangulaire. Il mesure 42,5 cm de long, 30,0 cm de large et 12,5 cm de haut. Dans sa boîte de carton, on le protège à l'aide de polystyrène. Le

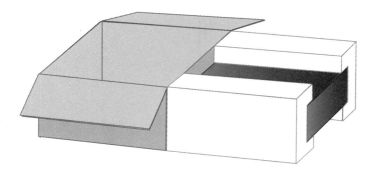

polystyrène occupe un espace de 5,0 cm tout autour du lecteur. Estime le volume de la boîte de carton, puis calcule-le.

Solution

Pour déterminer le volume d'un prisme rectangulaire, on multiplie l'aire de la base par la hauteur.

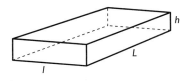

Volume = aire de la base × hauteur
        = longueur × largeur × hauteur
   $V = Llh$

Il faut ajouter deux fois l'épaisseur du polystyrène à chaque dimension du lecteur de DVD.

$L = 42,5 + 2(5,0)$
  $= 52,5$
$l = 30,0 + 10,0$
  $= 40,0$
$h = 12,5 + 10,0$
  $= 22,5$

Estime.
$V = Llh$
  $= 52,5 × 40,0 × 22,5$
  $\doteq 50 × 40 × 25$
  $= 2000 × 25$
  $= 50\ 000$

Calcule.
$V = Llh$
  $= 52,5 × 40,0 × 22,5$
  $= 47\ 250$
Le volume de la boîte de carton devrait être de 47 250 cm^3.

Exemple 2

Estime l'aire totale de la boîte de carton du lecteur de DVD de l'Exemple 1, puis calcule-la. Ajoute 0,5 cm à chaque dimension pour tenir compte de l'épaisseur du carton. En effet, les dimensions de l'Exemple 1 sont des mesures intérieures. La réponse que tu obtiens représente-t-elle la quantité de carton nécessaire pour fabriquer la boîte ? Explique ta réponse.

Solution

Pour déterminer l'aire totale d'un objet, on additionne les aires de toutes ses faces. Dans un prisme rectangulaire, les faces opposées sont congruentes, c'est-à-dire qu'elles ont la même taille et la même forme. Leurs aires sont identiques.

Aire totale = 2(aire de la face du dessus/du dessous) + 2(aire de la face avant/arrière) + 2(aire des deux extrémités)

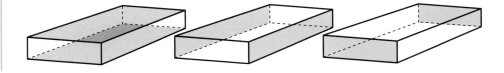

Dimensions extérieures
$$L = 52,5 + 0,5 \qquad l = 40,0 + 0,5 \qquad h = 22,5 + 0,5$$
$$ = 53,0 \qquad\qquad = 40,5 \qquad\qquad = 23,0$$

Estime.
$$\begin{aligned}
\text{Aire totale} &= 2(53,0 \times 40,5) + 2(53,0 \times 23,0) + 2(40,5 \times 23,0)\\
&\doteq 2(50 \times 40) + 2(50 \times 25) + 2(40 \times 25)\\
&= 2(2000) + 2(1250) + 2(1000)\\
&= 4000 + 2500 + 2000\\
&= 8500
\end{aligned}$$

Calcule.
$$\begin{aligned}
\text{Aire totale} &= 2(53,0 \times 40,5) + 2(53,0 \times 23,0) + 2(40,5 \times 23,0)\\
&= 4293 + 2438 + 1863\\
&= 8594
\end{aligned}$$

L'aire totale de la boîte du lecteur de DVD est de 8 594 cm^2.
Il ne s'agit pas de la quantité de carton nécessaire pour fabriquer la boîte.
En effet, une boîte a aussi des rabats et des parties qui se chevauchent. Il
faudrait donc plus de carton pour fabriquer la boîte.

Passe à l'action ••••••••••••••••••••••••••••••••••••••

1. Estime le volume des objets suivants, puis calcule-le.

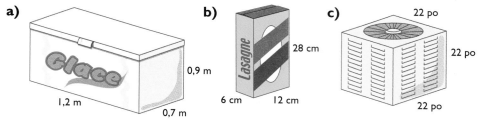

   a) 1,2 m, 0,7 m, 0,9 m
   b) Lasagne 6 cm, 12 cm, 28 cm
   c) 22 po, 22 po, 22 po

2. Estime l'aire de chaque prisme rectangulaire de l'exercice 1, puis calcule-la.

3. Une grande pièce rectangulaire dans un sous-sol mesure 36 pi sur 24 pi. Sa
hauteur est de 7 pi 6 po. On a installé une cloison sèche. Il reste à finir les
murs, le plancher et le plafond. Détermine les coûts suivants. Indice :
convertis toutes les dimensions en verges.

   a) Une moquette avec thibaude au coût de 20,25 $ la verge carrée installée
   b) Un enduit de plâtre pour le plafond au coût de 15,67 $ la verge carrée
   installée
   c) Deux couches de peinture pour les murs ; un pot peut couvrir environ
   20 verges carrées et coûte 39,95 $

4. Comment pourrais-tu estimer le volume d'un édifice rectangulaire ?
Pourquoi le volume d'un édifice pourrait-il intéresser quelqu'un ?

5. Un parterre de fleurs rectangulaire mesure 3 verges sur 2 verges. On doit creuser le parterre et le remplir de terre végétale à une profondeur (ou une hauteur) de $\frac{1}{4}$ de verge. La terre végétale coûte 72 $ la verge cube, livraison incluse.

    a) Estime le volume de terre végétale requise pour remplir le parterre de fleurs, puis calcule-le.

    b) Calcule le coût de la terre végétale livrée.

6. Mesure les dimensions de chaque objet, puis calcule son volume.

    a) Ta salle de classe   **b)** L'intérieur d'un tiroir

    c) Une boîte de mouchoirs   **d)** Une boîte de ton choix

7. Des paquets de 500 feuilles se vendent dans un emballage de papier. Un paquet de 500 feuilles mesure $8\frac{1}{2}$ po sur 11 po sur 2 po. Le papier d'emballage mesure $22\frac{1}{2}$ po sur 15 po.

    a) Calcule l'aire totale d'un paquet de 500 feuilles.

    b) Calcule l'aire de l'emballage de papier.

    c) Quelle quantité de papier d'emballage utilise-t-on pour les chevauchements ? Explique.

    d) Quel pourcentage de l'aire totale du paquet représente l'aire du papier d'emballage utilisé pour les chevauchements ?

8. a) Mesure les dimensions d'une boîte, par exemple une boîte de pâte dentifrice.

    b) Calcule l'aire totale de la boîte.

    c) Démonte la boîte et calcule l'aire du carton utilisé pour faire la boîte.

    d) Quelle est l'aire du carton utilisé pour les chevauchements ? Explique.

    e) Quel pourcentage de l'aire totale de la boîte représente l'aire du carton utilisé pour les chevauchements ?

    f) Compare le pourcentage trouvé en e) avec le pourcentage trouvé à l'exercice 7 d). Que remarques-tu ?

9. Un boîtier de disque compact mesure 13,7 cm sur 12,5 cm sur 1 cm.

    a) Calcule le volume de 24 boîtiers de disques compacts.

    b) Calcule l'aire totale des boîtiers pour différentes façons de les empiler.

    I)   **II)**   **III)**   **IV)**

  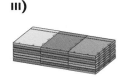 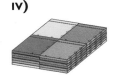

    c) À partir de tes réponses en b), prédis le contenant, parmi ceux ci-dessous qui a la plus petite aire totale. Calcule l'aire totale des deux contenants pour vérifier ta prédiction.

    I)   **II)**

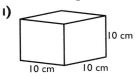   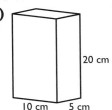

9.2 — Les cylindres

Fais une recherche

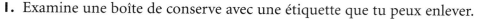

Examine quelques boîtes de conserve cylindriques comme celles de l'illustration.

Quelles sont les caractéristiques d'un cylindre ?

En quoi un cylindre est-il semblable à un prisme rectangulaire ?

En quoi un cylindre est-il différent d'un prisme rectangulaire ?

Comment peux-tu calculer l'espace qu'occupe un cylindre ?

Comment peux-tu calculer l'aire de toutes les surfaces d'un cylindre ?

Analyse

1. Examine une boîte de conserve avec une étiquette que tu peux enlever.

a) Pour déterminer le volume d'un prisme rectangulaire, on utilise la formule Volume = aire de la base × hauteur. Peut-on utiliser cette formule pour calculer le volume d'un cylindre ? Explique.

b) Quelle forme a la base d'un cylindre ? Quelle est la formule de l'aire de cette forme ?

c) On sait que la formule de l'aire de la base d'un prisme rectangulaire est longueur × largeur. On peut donc exprimer ainsi la formule du volume d'un prisme rectangulaire : $V = Llh$. Exprime le volume d'un cylindre d'une façon semblable.

2. L'aire totale est la somme des aires de toutes les faces.

a) Combien de faces un cylindre a-t-il ?

b) Quelle est la forme de deux de ces faces ? Quelle est la formule de l'aire de cette forme ?

c) Pour déterminer la forme de la face courbe, coupe l'étiquette de la boîte en ligne droite de haut en bas, puis enlève-la. Quelle est la forme de l'étiquette lorsque tu la mets à plat ? Quelle est la formule de l'aire de cette forme ?

d) La distance autour de la base circulaire est égale à la longueur de la face courbe mise à plat. La hauteur de la boîte est sa largeur. Quelle formule te permettrait d'obtenir l'aire de la face courbe ?

   ı) $Ll = \pi r^2 h$ **ıı)** $Ll = \pi dh$ **ııı)** $Ll = \pi rh$

e) Quelle est la formule de l'aire totale d'un cylindre (l'aire des trois faces) ?

Exemple 1

Un pouf de forme cylindrique a un rayon de 21 cm et une hauteur de 38 cm. Estime le volume de rembourrage dans le pouf, puis calcule-le.

Solution

Pour déterminer le volume d'un cylindre, on utilise la formule
Volume = aire de la base circulaire × hauteur
$$V = \pi r^2 h$$

Estime.
$V = \pi r^2 h$
$= 3,14 \times 21^2 \times 38$
$\doteq 3 \times 20^2 \times 40$
$= 3 \times 400 \times 40$
$= 48\ 000$

Calcule.
$V = \pi r^2 h$
$= 3,14 \times 21^2 \times 38$
$= 52\ 620,12$
Le volume de rembourrage dans le pouf est de 52 620,12 cm^3.

Exemple 2

L'extérieur du pouf de l'Exemple 1, avec le dessous, est en cuir. Estime l'aire totale du pouf, puis calcule-la. Ta réponse représente-t-elle la quantité de cuir nécessaire pour fabriquer le pouf ? Explique.

Solution

Pour déterminer l'aire totale d'un cylindre, on utilise la formule
Aire totale = 2(aire des bases circulaires) + aire de la face rectangulaire
Aire totale = $2(\pi r^2) + \pi dh$ où πd est la circonférence d'une base circulaire, soit la longueur de la face rectangulaire, et h est la hauteur du cylindre, soit la largeur de la face rectangulaire.

Estime.
Aire totale $= 2(\pi r^2) + \pi dh$
$= 2 \times 3,14 \times 21^2 + 3,14 \times 42 \times 38$
$\doteq 2 \times 3 \times 20^2 + 3 \times 40 \times 40$
$= 2400 + 4800$
$= 7200$

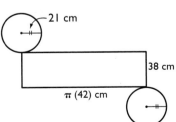

Calcule.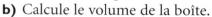

Aire totale $= 2(\pi r^2) + \pi dh$
$\qquad\qquad = 2 \times 3{,}14 \times 21^2 + 3{,}14 \times 42 \times 38$
$\qquad\qquad = 7\,780{,}92$

L'aire totale du pouf est de 7 780,92 cm².

Il ne s'agit pas de la quantité de cuir nécessaire pour faire le pouf. Il faut prévoir plus de cuir pour les chevauchements et les coutures.

3. a) Mesure le diamètre et la hauteur d'une boîte de conserve au dixième de centimètre près.

b) Calcule le volume de la boîte.

c) Compare le volume de la boîte que tu as calculé avec la capacité indiquée sur la boîte.

d) Un volume de 1 cm³ contient 1 mL. Suppose que tu mesures les dimensions d'une boîte de conserve et que tu calcules son volume. Comment peux-tu vérifier si tes calculs sont raisonnables à partir de la capacité indiquée sur l'étiquette ?

Passe à l'action •

4. Estime puis calcule le volume de chaque boîte de conserve.

a) 8,5 cm 11 cm

b) 10,7 cm 17 cm

c) 9,5 cm 21,5 cm

5. Estime l'aire totale de chaque boîte de conserve de l'exercice 4, puis calcule-la.

6. Annie et François construisent un jardin d'eau. L'étang est circulaire et a un diamètre de 1,5 m. Il y aura de l'eau d'une profondeur (une hauteur) de 0,5 m.

a) Calcule le volume d'eau dans l'étang au centième de mètre cube près.

b) Annie et François désirent avoir des poissons rouges dans l'étang. Un poisson rouge a besoin d'environ 0,125 m³ d'espace vital. Environ combien de poissons rouges Annie et François peuvent-ils mettre dans l'étang ?

c) Il faut recouvrir le fond et les côtés de l'étang avec une toile. Calcule le coût de la toile si elle coûte 14,76 $ le mètre carré.

7. Un verre cylindrique a une hauteur de 9 cm et un diamètre de 7 cm. Peut-il contenir 250 mL de liquide ?

8. L'intérieur d'une tasse de forme cylindrique mesure 9 cm de hauteur sur 7 cm de diamètre. Environ combien de millilitres de liquide la tasse peut-elle contenir ?

9. Naomi fabrique des chandelles.

   a) Indique l'option qui nécessite le plus de cire : trois chandelles ordinaires, chacune ayant un diamètre de 3 po et une hauteur de 6 po, ou une chandelle à trois mèches ayant un diamètre de 6 po et une hauteur de 6 po ?

   b) Si Naomi vend une chandelle ordinaire pour 6 $, suggère un prix de vente raisonnable pour une chandelle à trois mèches. Qu'est-ce qui pourrait influer sur le prix à l'exception de la quantité de cire utilisée ?

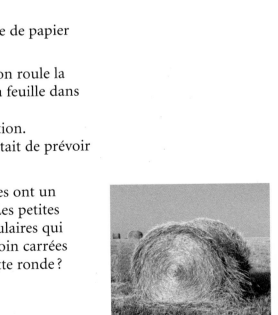

10. André fabrique des bouteilles de parfum en verre. Chaque bouteille doit contenir 100 mL de parfum. Le verre qu'il utilise coûte très cher. Le coût de fabrication des couvercles est le même pour tous les formats de bouteille.

   a) Vérifie si chaque bouteille peut contenir 100 mL.
      i) $r = 1{,}5$ cm, $h = 14{,}2$ cm
      ii) $r = 2{,}2$ cm, $h = 6{,}6$ cm
      iii) $r = 2{,}5$ cm, $h = 5{,}1$ cm

   b) André veut réduire ses coûts de production, c'est-à-dire utiliser le moins de verre possible. Quel format de bouteille devrait-il choisir ? Pourquoi ?

11. On peut fabriquer un tube cylindrique si on roule une feuille de papier de $8\frac{1}{2}$ po sur 11 po jusqu'à ce que les bords se rejoignent.

   a) Prédis la différence de volume dans ces deux situations : on roule la feuille de papier dans le sens de la longueur et on roule la feuille dans le sens de la largeur.

   b) Calcule le volume de chaque tube pour vérifier ta prédiction.

   c) Est-ce que la formule du volume d'un cylindre te permettait de prévoir les résultats que tu as obtenus en b) ?

12. Les bottes de foin « rondes » sont en réalité cylindriques. Elles ont un diamètre de 5 pi et une longueur (ou une hauteur) de 4 pi. Les petites bottes de foin « carrées » sont en réalité des prismes rectangulaires qui mesurent 38 po sur 16 po sur 14 po. Combien de bottes de foin carrées faut-il pour nourrir autant d'animaux qu'avec une seule botte ronde ? Explique.

9.3 – Les dessins en trois dimensions

Tu as vu les dessins à l'échelle en deux dimensions au chapitre précédent. Ces dessins montrent une seule surface. On peut aussi faire des dessins qui montrent trois dimensions. Par exemple, tu as vu des dessins de boîtes en carton et de boîtes de conserve dans les sections précédentes.

Fais une recherche •

Fais un dessin en trois dimensions de l'intérieur d'une boîte ouverte, par exemple une boîte de chaussures. Dessine à la main sur du papier à points isométrique ou bien utilise un logiciel de géométrie, de conception ou de dessin.

Analyse •

Pour les exercices 1 à 4, dessine à la main sur du papier à points isométrique ou utilise un logiciel de géométrie, de conception ou de dessin.

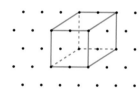

1. Fais un dessin en trois dimensions des objets suivants.

   a) Un prisme rectangulaire qui est un cube

   b) Un cylindre qui est plus large que long

   c) L'intérieur d'une salle de classe, montrant le bureau de l'enseignante ou de l'enseignant et trois murs

Passe à l'action •

2. Fais un dessin en trois dimensions pour chaque aquarium.

   a) Un aquarium qui a une base carrée et qui est à peu près aussi large que profond.

   b) Un aquarium cylindrique qui est environ trois fois plus large que profond.

   c) Un aquarium qui a une base carrée et qui est environ trois fois plus large que profond.

   d) Un aquarium cylindrique qui est environ trois fois plus profond que large.

3. Fais un dessin en trois dimensions d'une pièce de ta maison, montrant trois murs, les portes et les fenêtres qui sont sur ces trois murs et un meuble.

4. Choisis une pièce que tu aimerais aménager, ou utilise la pièce que tu as créée à la section 8.6, et fais un plan à l'échelle. Fais un dessin en trois dimensions de la pièce, montrant trois murs, les portes et les fenêtres qui sont sur ces trois murs et plusieurs meubles.

9.4 — Les maquettes

Une **maquette** est une représentation plus grande ou plus petite d'un objet dont les mesures sont proportionnelles à celles de l'objet.

Les architectes et les dessinatrices et dessinateurs utilisent des maquettes pour représenter des édifices, des ponts et d'autres structures. Cela permet de se faire une idée de l'apparence des structures finales. Au théâtre et au cinéma, les décoratrices et les décorateurs utilisent aussi des maquettes.

Fais une recherche ●

Utilise des cure-pipes pour faire la maquette d'une chaise. Indique l'échelle de ta maquette.

Analyse ●

Pour construire une maquette, tu dois :
- déterminer l'espace et la quantité de matériel nécessaire
- déterminer les mesures de l'objet
- déterminer une échelle appropriée
- convertir les mesures réelles en mesures à l'échelle
- construire la maquette

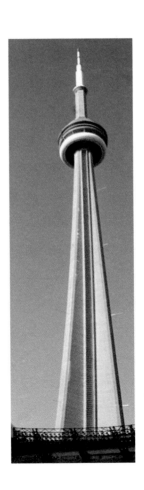

1. L'ameublement d'une maison de poupée est construit à une échelle de 1:24, où 1 po représente 24 po ou 2 pi. Quelle est la longueur réelle de chaque meuble ?

   a) une table d'une longueur de $2\frac{1}{2}$ po

   b) un divan d'une longueur de $3\frac{3}{4}$ po

2. Tu veux faire une maquette des objets suivants. Chaque maquette devra tenir dans ta main. Choisis une échelle appropriée pour chaque objet :

   a) une chaise de 1 m de haut

   b) un soldat qui mesure 6 pi

   c) un camion d'incendie de 15 m de long

Passe à l'action ●

3. La Tour du CN mesure 533,33 m de haut et sa base a un diamètre de 66,6 m. Si tu construis une maquette dont l'échelle est de 1:50, où 1 m représente 50 m, la base de ta maquette aura un diamètre de 1,33 m. Quelle hauteur devra avoir la pièce où tu construiras la maquette ?

4. Jacob veut faire une maquette des édifices du Parlement d'Ottawa pour un projet scolaire. Il a trouvé les mesures suivantes.

- L'édifice du Centre, sans la tour de la Paix, mesure 145 m de large sur 75 m de haut à l'extérieur.
- La hauteur de la tour de la Paix, du sol jusqu'à la base du mât porte-drapeau, est de 92 m.
- La hauteur du sol jusqu'au centre de l'horloge est de 65 m.
- Le diamètre de l'horloge est de 5 m. La longueur de l'aiguille des minutes est de 2,5 m. La longueur de l'aiguille des heures est de 1,5 m.
- Le drapeau mesure 4,5 m sur 2,0 m.

a) Jacob établit une échelle de 1:100 pour sa maquette. Détermine les mesures à l'échelle, en centimètres.

b) Jacob doit apporter sa maquette à l'école. Devrait-il choisir une autre échelle? Explique.

5. Une locomotive diesel ressemble beaucoup à un prisme rectangulaire. Ce prisme mesure environ 12,5 m de long sur 1,5 m de large sur 3,5 m de haut. La locomotive a 10 roues, soit 5 de chaque côté. Chaque roue a un diamètre de 1 m.

a) Laquelle des échelles suivantes est appropriée pour faire une maquette de la locomotive?
- **I)** 1 cm représente 1 m
- **II)** 1 cm représente 50 cm
- **III)** 1 cm représente 2 m

b) Convertis les mesures réelles de la locomotive en mesures à l'échelle.

c) Fais un dessin en trois dimensions du modèle réduit.

d) Construis une maquette de la locomotive diesel.

e) Calcule le volume de la locomotive et le volume de la maquette. Compare-les.

f) Calcule l'aire totale de la locomotive et l'aire totale de la maquette. Compare-les.

6. Choisis une structure qui t'intéresse, par exemple un édifice, un jardin ou un pont. Construis une maquette de la structure. Indique toutes les dimensions nécessaires et l'échelle que tu as choisie.

Gros plan sur... les commis de magasin de modèles réduits

Tung travaille dans un magasin qui vend des fournitures pour les passe-temps et les loisirs. On y trouve beaucoup de modèles réduits de voitures, de trains, d'avions et de vaisseaux spatiaux. À son travail, Tung a appris beaucoup de choses sur les nombreuses échelles utilisées en modélisme.

1. Une cliente demande à Tung : « Qu'est-ce qu'une échelle ? » Que devrait répondre Tung ?

2. Un client demande à Tung : « Que signifient les nombres 1:24 indiqués sur cette boîte ? » Que devrait répondre Tung ?

3. Un **diorama** est la représentation d'une scène avec des modèles réduits en trois dimensions. Tung recommande de choisir la même échelle pour tous les modèles réduits utilisés dans un diorama. Pourquoi ?

4. La plupart des échelles en modélisme correspondent aux échelles utilisées pour les dessins et les maquettes en architecture. On utilise souvent des échelles qui permettent de convertir facilement des mesures dans le système impérial. Par exemple, une échelle de 1:12, où 1 po représente 12 po ou 1 pi, et une échelle de 1:16, où $\frac{1}{16}$ de pouce représente 1 po, sont des échelles courantes. Ces deux échelles et leurs multiples sont à la base de la plupart des échelles en modélisme. Les multiples de 1:12 comprennent 1:24 et 1:36. Les multiples de 1:16 comprennent 1:32 et 1:48.

   a) Explique pourquoi on pourrait trouver les échelles suivantes dans le magasin où Tung travaille.
   I) 1:24, l'échelle pour la plupart des voitures
   II) 1:72, une échelle courante pour les avions
   III) 1:96, une échelle courante pour les vaisseaux spatiaux
   b) Explique pourquoi la plupart des modélistes pensent que les échelles 1:25 et 1:43 sont bizarres.
   c) Quels types d'échelles conviennent bien au système métrique ?

9.6 — Tour d'horizon : L'aménagement d'un sous-sol

Gé Ta tâche consiste à planifier l'aménagement d'un sous-sol de maison de 10 m sur 8 m et à estimer le coût des travaux. Tu peux y faire un atelier, une salle de jeu, une chambre, une salle de bains ou plusieurs de ces pièces. Les murs extérieurs sont assemblés et isolés. Le plan ci-contre montre la position de l'escalier, de la chaudière, des fenêtres, des poteaux de soutien ainsi que l'endroit où se trouve la plomberie brute pour une éventuelle salle de bains.

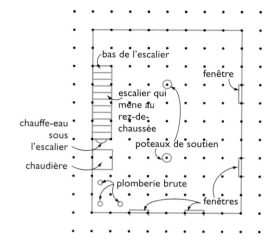

Applique tes connaissances sur la mesure, le dessin en deux dimensions et le dessin en trois dimensions pour faire les étapes suivantes.

Fais un plan à l'échelle du sous-sol sur du papier quadrillé. Indique l'échelle. Choisis l'emplacement des divisions et des entrées de porte. Indique les dimensions et l'usage prévu de chaque pièce.

Estime le coût, sans la main-d'œuvre :
- de la finition des murs, du plancher et du plafond ;
- des portes et des placards ;
- des luminaires et des équipements sanitaires (bain, lavabo, etc.).

Suppose que le coût de la main-d'œuvre équivaut à la moitié du coût des matériaux et des équipements. Estime les coûts de la main-d'œuvre.

Estime le coût de l'ameublement, des appareils électroniques ou des électroménagers pour ton aménagement.

Quel est le coût total par mètre carré de ton projet ? Fais un dessin en trois dimensions ou la maquette de l'une des pièces.

9.7 — Résumé

1. Définis chaque terme. Fais un schéma annoté pour expliquer chaque terme :

   a) volume   **b)** aire totale   **c)** échelle

2. Quel contenant a le plus grand volume ? De combien le volume est-il plus grand ?

   a)

   b)

3. Quel contenant de l'exercice 2 a la plus grande aire totale ? De combien est-elle plus grande ?

4. Fais un dessin en trois dimensions d'une chambre avec un lit, un bureau et une commode.

5. On construit une maquette d'une voiture avec une échelle de 1:24.

   a) S'agit-il d'un agrandissement ou d'une réduction de l'objet ?

   b) Une mesure de la maquette est de 2 po. Quelle est la mesure correspondante sur la voiture réelle ?

   c) Une mesure sur la voiture est de $3\frac{1}{2}$ pi. Quelle est la mesure correspondante sur la maquette ?

6. Caroline travaille pour une société d'architecture qui fait le plan d'un nouvel édifice en forme de prisme rectangulaire. L'édifice de trois étages mesurera 50 m sur 80 m et aura une hauteur de 12 m. On prévoit aménager une serre de forme cylindrique sur le toit. Cette serre aura un diamètre de 7 m et une hauteur de 3,5 m.

   Caroline doit recueillir les données suivantes :
   - l'espace total dans l'édifice, y compris la serre
   - l'aire que l'édifice occupera sur la propriété
   - le coût total des briques requises pour les murs extérieurs de l'édifice, à l'exception de la serre. On suppose que 50 % des murs extérieurs seront des fenêtres et des portes. Les briques coûtent 10,48 $ le mètre carré
   - le coût total du verre, seulement pour les murs et le toit de la serre, si le verre coûte 7,98 $ le mètre carré
   - une échelle appropriée pour construire une maquette de l'édifice, de même que les dimensions à l'échelle

   Détermine les mesures et les coûts, puis rédige un rapport pour Caroline.

10 Les transformations et les motifs

Dans ce chapitre, tu vas :
– faire le lien entre des transformations et la symétrie et le design de logos ;
– analyser les composantes géométriques de logos et d'autres motifs ;
– explorer les effets de transformations géométriques à l'aide de la technologie ;
– concevoir ton propre logo en utilisant la symétrie et les transformations géométriques à l'aide de la technologie ;
– explorer les caractéristiques de figures pouvant former des dallages ;
– créer des motifs de dallage à l'aide de la technologie.

Vers la fin du chapitre, tu vas appliquer tes connaissances en design géométrique dans un contexte commercial.

La Croix-Rouge

Les composantes géométriques des motifs

Les entreprises, les industries et les organismes gouvernementaux utilisent souvent des **logos** ou des symboles pour promouvoir leur image. La plupart des gens peuvent faire des liens beaucoup plus facilement avec des représentations visuelles qu'avec des mots ou un texte. Un logo doit être simple, unique et attrayant. Une fois qu'on a présenté un logo, les gens pourront le reconnaître facilement. Par exemple, la Croix-Rouge est un logo connu dans le monde entier qui représente l'assistance médicale.

Fais une recherche •

Examine les logos ci-dessous. Décris la façon dont on a utilisé la symétrie et les transformations géométriques. Selon toi, pourquoi ces logos sont-ils attrayants et appropriés aux organisations qu'ils représentent ?

Conseil scolaire de district du Centre-Sud-Ouest

Exemple I

Il y a deux types de symétrie : la symétrie axiale ou de réflexion et la symétrie de rotation. Quel type de symétrie vois-tu dans chacun de ces drapeaux ? Pour les symétries de réflexion, trace la droite de symétrie. Pour les symétries de rotation, trouve le centre de rotation.

a) Canada

b) Anguilla

c) République tchèque

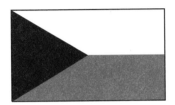

d) Maroc

Solution

a) symétrie de réflexion

b) symétrie de rotation

c) symétrie de réflexion

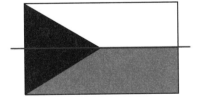

d) symétrie de rotation

Exemple 2

Les motifs ci-dessous présentent quatre transformations géométriques. Nomme chaque transformation et associe-lui le motif approprié.

a) Cette transformation a pour effet de faire glisser une figure à la verticale ou à l'horizontale. L'image a la même taille et la même forme que la figure d'origine, et la même orientation aussi.

b) Cette transformation a pour effet de déplacer un objet dans un mouvement circulaire autour d'un point. Le point est le centre de rotation. L'image a la même taille et la même forme que la figure d'origine, mais une orientation différente.

c) Cette transformation produit une image miroir de la figure par rapport à une droite. La droite est un axe de symétrie. L'image a la même taille et la même forme que la figure d'origine, mais une orientation opposée.

d) Cette transformation a pour effet d'agrandir ou de réduire une figure. L'image a la même forme et la même orientation que la figure d'origine, mais une taille différente.

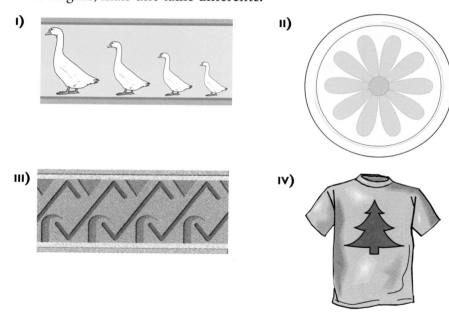

I)   II)   III)   IV)

Solution

a) translation, III)   **b)** rotation, II)   **c)** réflexion, IV) **d)** homothétie, I)

Les logos contiennent habituellement des symboles graphiques. On peut parfois produire ces symboles à l'aide de transformations géométriques. Les transformations géométriques changent la position des formes et donc leur apparence. Les symboles utilisés pour concevoir un logo peuvent subir des translations, des rotations, des réflexions et des homothéties.

Exemple 3

Analyse les composantes géométriques de chaque logo.

a) Conseil scolaire du district du Grand Nord de l'Ontario

b) Conseil scolaire public du Nord-Est de l'Ontario

Solution

a) On retrouve deux symétries par réflexion dans le logo du Conseil scolaire du district du Grand Nord de l'Ontario : un premier axe de symétrie oblique passant par le centre entre la main du haut et la main à droite ; un deuxième axe oblique passant par le centre entre la main à droite et la main à gauche. On retrouve également des rotations par rapport au centre pour répéter les régions courbées au centre du logo.

b) Il y a une symétrie par réflexion par rapport à une droite verticale passant par le centre pour former le cœur en arrière plan du logo. Il y a également une homothétie : le dessin de la personne à gauche est une réduction du dessin de la personne au centre à l'avant.

Passe à l'action

1. Analyse les composantes géométriques de chaque panneau routier.

a)

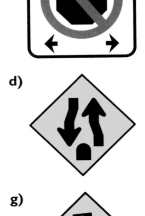

b)

c)

d)

e)

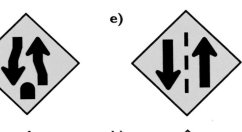

f)

g)

h)

i)

2. Analyse les composantes géométriques de chaque logo de conseil scolaire.

a) Conseil scolaire de district catholique de l'Est ontarien

b) Conseil scolaire catholique du district d'Halton

c) École secondaire Cité-Supérieure

d) Conseil scolaire catholique du district d'Algonquin et Lakeshore

3. Comment peux-tu reconnaître facilement chaque transformation ?

a) translation **b)** réflexion
c) rotation **d)** homothétie

4. a) Analyse les composantes géométriques de ce motif de papier peint.

b) Dessine un motif de papier peint et explique la façon dont tu as utilisé la symétrie ou les transformations.

5. a) Dans Internet ou dans des documents imprimés, comme des journaux et des magazines, trouve des logos et d'autres motifs qui montrent des symétries ou des transformations. Pour chaque logo ou motif, décris la manière dont on a utilisé la symétrie et les transformations.

b) Selon toi, quelles composantes géométriques rendent plus attrayants les motifs en a) ? Explique.

6. La symétrie et les transformations sont présentes dans les objets qui t'entourent. Examine le travail du bois sur les meubles, les motifs sur la vaisselle et le papier peint, les éléments décoratifs sur les édifices et les marques de voitures.

Nomme cinq motifs ou plus, dans les objets qui t'entourent, qui montrent une symétrie ou des transformations. Pour chaque motif, décris l'utilisation de la symétrie ou des transformations.

L'exploration de motifs à l'aide de la technologie

Dans cette section, tu vas examiner différents motifs géométriques que tu peux produire à partir d'une de tes initiales. Tu pourrais utiliser tes résultats pour concevoir ton propre logo.

Fais une recherche ●●●●●●●●●●●●●●●●●●●●●●●●●●●●●●●●●●●●●●

Explore les transformations géométriques à l'aide d'un logiciel de géométrie dynamique. Trace une figure simple. Applique-lui différentes translations, rotations, réflexions et homothéties. Décris l'effet de chaque transformation sur la figure d'origine.

Analyse ●●●

1. Quelles sont tes initiales ? Si ces lettres présentent des symétries, décris-les. Choisis une des lettres pour la construire et la transformer.

2. Dans un logiciel de géométrie dynamique, choisis les paramètres appropriés pour que les étiquettes n'apparaissent pas automatiquement, pour mesurer en centimètres et afficher les grilles et les axes à l'écran. La grille va t'aider à analyser l'effet d'une transformation.

3. Construis la lettre choisie. Tu dois placer un point à la rencontre des axes. Si nécessaire, utilise des segments de droite plutôt que des courbes. Cela va faciliter la construction et la transformation de la lettre.

4. Sélectionne ta lettre. Applique-lui une translation par un vecteur rectangulaire. Choisis une translation horizontale de 2 et une translation verticale de 3. On peut écrire cette translation (2, 3). Décris l'effet de la translation sur la lettre d'origine. Enregistre le fichier. Cache la transformation afin d'afficher seulement la lettre d'origine sur les axes et la grille.

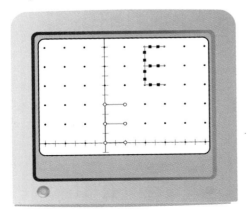

5. Refais l'exercice 4 pour chacune des translations suivantes. Enregistre chaque translation dans un fichier distinct. Décris l'effet de chaque translation.

   a) $(0, 3)$ **b)** $(3, 0)$ **c)** $(0, -3)$ **d)** $(-3, 0)$
   e) $(3, 3)$ **f)** $(-3, -3)$ **g)** $(-3, 3)$ **h)** $(3, -3)$

6. **a)** Cache la dernière transformation afin d'afficher seulement la lettre d'origine sur les axes et la grille.

   b) Pour construire une droite qui passe par la lettre, utilise l'outil droite et non l'outil segment de droite. Si ta lettre a une symétrie, construis une droite qui n'est pas l'axe de symétrie. Étiquette cette droite comme un miroir.

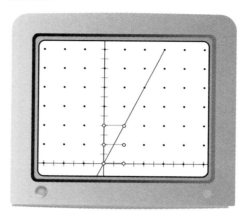

   c) Sélectionne ta lettre. Applique-lui une réflexion. Décris l'effet de la réflexion sur la lettre d'origine. Décris les symétries, s'il y en a. Enregistre ce fichier.

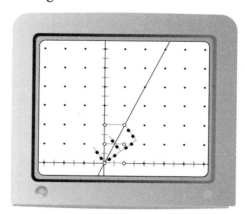

7. Refais l'exercice 6, mais cette fois construis une droite à l'extérieur de la lettre. Décris les différences et les ressemblances entre les images de réflexion des exercices 6 et 7.

8. **Vérifie tes compétences** Associe chaque angle avec la mesure en degrés correspondante.

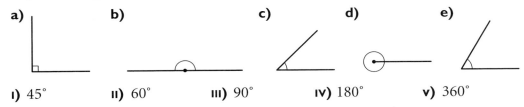

a) **b)** **c)** **d)** **e)**

I) 45° **II)** 60° **III)** 90° **IV)** 180° **v)** 360°

9. **a)** Cache la dernière transformation afin d'afficher seulement la lettre d'origine sur les axes et la grille.

   b) Construis un point sur ta lettre. Sélectionne le point et étiquette-le comme le centre.

   c) Sélectionne ton initiale. Applique-lui une rotation de 45°. Décris l'effet de la rotation.

   d) Reprends l'image en b) et applique-lui une rotation de 45°. Fais plusieurs rotations de 45° jusqu'à ce que l'image revienne au même endroit que la lettre d'origine. Décris les effets de ces rotations sur la lettre d'origine. Enregistre ce fichier.

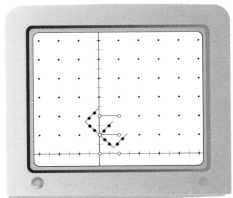

10. **a)** Cache les transformations de l'exercice 9 afin d'afficher seulement la lettre d'origine sur les axes et la grille.

    b) Refais l'exercice 9, mais cette fois construis un point à l'extérieur de ta lettre. Décris les différences et les ressemblances entre les images par rotation des exercices 9 et 10.

11. **a)** Cache les transformations de l'exercice 10 afin d'afficher seulement la lettre d'origine sur les axes et la grille.

    b) Construis un point sur ta lettre. Sélectionne le point et étiquette-le comme le centre.

    c) Sélectionne ta lettre. Applique-lui une homothétie de facteur 3. Décris l'effet de l'homothétie. Enregistre le fichier.

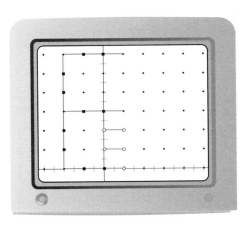

12. **a)** Cache la dernière transformation afin d'afficher seulement la lettre d'origine sur les axes et la grille.

    b) Construis un point sur ta lettre, ou utilise le même point qu'à l'exercice 11. Sélectionne le point et étiquette-le comme le centre.

    c) Sélectionne ton initiale. Applique-lui une homothétie de facteur 0,5. Décris l'effet de l'homothétie. Décris les différences et les ressemblances entre les images des exercices 11 et 12. Enregistre le fichier.

13. Décris chaque transformation.

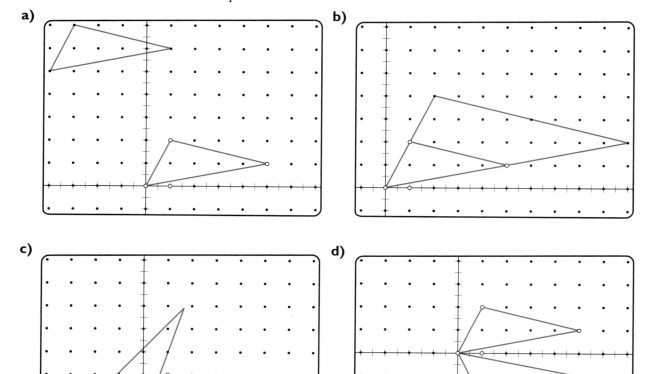

14. Reproduis chaque transformation de l'exercice 13 à l'aide d'un logiciel de géométrie dynamique.

15. Construis une étoile ou un parallélogramme et applique-lui les transformations suivantes. Enregistre chaque transformation dans un fichier distinct. Décris l'effet de chaque transformation :

a) une translation (5, −4)
b) une translation (0, −5)
c) une réflexion par rapport à l'axe horizontal
d) une réflexion par rapport à l'axe vertical
e) une rotation de 90° autour du centre
f) une rotation de 180° autour du centre
g) une homothétie de facteur 2 par rapport à n'importe quel point
h) une homothétie de facteur 0,5 par rapport à n'importe quel point

10.3 La conception d'un logo

Fais une recherche •

À quoi sert un logo? Quelles caractéristiques un logo devrait-il avoir?
Explique.

Analyse •

Un logo peut se composer de texte et de symboles graphiques. On peut varier
les **polices de caractères,** c'est-à-dire l'aspect et la taille des lettres, pour
produire différentes impressions. Par exemple, une police de caractères grasse
peut donner une impression de force et de pouvoir. Des caractères qui
simulent l'écriture à la main donnent une image d'élégance. Une police de
caractères inclinée dégage une impression de mouvement.

La couleur est une autre composante des logos. La couleur produit également
différentes impressions. Le bleu marine, le bordeaux et le bleu sarcelle sont
d'excellents choix pour transmettre une image conservatrice. Le noir et le
blanc donnent une allure contemporaine.

1. Tu vas lancer ta propre entreprise et tu as besoin d'un logo attrayant et
   accrocheur pour la représenter. Ton logo paraîtra sur tous les éléments liés
   à ton entreprise.

   a) Choisis ton entreprise. Propose un objet simple, par exemple, une
   lettre, un nom, une figure ou une image graphique qui sera la base du
   logo de ton entreprise. Pense à la simplicité et à la clarté.

   b) Dessine l'objet choisi. Détermine les transformations et les symétries
   que tu peux utiliser pour concevoir ton logo à l'aide d'un logiciel.

   c) Construis l'objet choisi en a) à l'aide d'un logiciel de géométrie
   dynamique, de conception ou de dessin, ou sur du papier quadrillé.

   d) Conçois un logo à partir de l'objet que tu as construit en c). Applique
   les transformations et les symétries que tu as déterminées en b).
   Rappelle-toi que tu peux changer la couleur et le style de différents
   objets pour les rendre plus attrayants visuellement. Tu peux aussi
   ombrer l'intérieur de certains objets.

Passe à l'action •

2. Montre ton logo à deux ou trois partenaires. Examine leur logo.

   a) Dresse la liste des transformations que tes partenaires ont appliquées
   pour concevoir leur logo. Décris les symétries que tu peux voir.

   b) Fais des suggestions constructives à tes partenaires pour qu'ils
   améliorent leur logo.

   c) Révise ton logo selon les suggestions de tes partenaires.

10.4 — Gros plan sur… les peintres d'enseignes

Juliette est peintre d'enseignes. Son travail consiste à disposer et à imprimer des lettres, des formes et des motifs. Ses enseignes apparaissent sur des panneaux publicitaires, des murs, des voitures, des camions et des édifices.

Les peintres d'enseignes doivent faire preuve de précision et de justesse dans leurs gestes et avoir le souci du détail. Pour faire ce métier, il faut pouvoir travailler avec différents matériaux, comme la peinture, l'encre, des matériaux de revêtement, du bois, du tissu et du métal. Il faut aussi savoir utiliser des outils électriques. De plus, une bonne connaissance des logiciels de conception constitue un atout.

Beaucoup de peintres d'enseignes travaillent pour des entreprises qui fabriquent des enseignes, avec une équipe de gens spécialisés, tels que des conceptrices et des concepteurs graphiques. Les peintres d'enseignes qui ont un bon sens des affaires et de bonnes aptitudes en communication travaillent souvent à leur compte.

1. Quelles sont les compétences requises pour être peintre d'enseignes?

2. Selon toi, pourquoi est-il important d'être capable de travailler en équipe dans ce domaine et dans d'autres domaines?

3. Que représentent les panneaux suivants? Quelles caractéristiques et quelles transformations a-t-on utilisées pour transmettre chaque message?

   a)   b)   c)

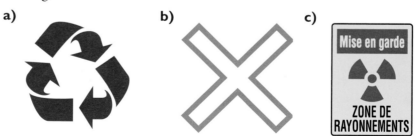

4. Examine des enseignes près de ton école ou dans ta localité. Trouve cinq enseignes qui contiennent des symboles ou des logos. Décris les transformations qu'on a appliquées pour concevoir ces symboles ou ces logos. Décris les caractéristiques qui rendent chaque enseigne efficace.

10.5 – Les dallages

Lorsque tu poses des carreaux sur un plancher ou sur un mur, la plus importante partie du travail consiste à bien couvrir la surface. Par exemple, pour réussir la pose de carreaux de céramique sur les murs d'une douche, il faut éviter les chevauchements et les espaces entre les carreaux.

De même, pour réussir la pose de pavé autobloquant sur une terrasse ou une allée, il faut éviter les chevauchements et les espaces entre les pavés.

FA **Fais une recherche** •

On peut utiliser des carrés de la même taille, comme dans l'illustration ci-dessus, pour **former un dallage,** ou on peut les placer côte à côte pour couvrir une surface plane sans espace ni chevauchement. Les figures ci-dessous sont d'autres polygones réguliers. Chaque figure a des côtés égaux et des angles égaux. À l'aide de blocs formes, de papier à points ou d'un logiciel de géométrie dynamique, détermine les polygones réguliers qu'on peut utiliser pour former un dallage.

Quelles sont les caractéristiques des figures qui permettent de former un dallage ?

triangle équilatéral

pentagone régulier

hexagone régulier

octogone régulier

Analyse

Utilise des blocs formes, du papier à points ou un logiciel de géométrie dynamique pour faire les exercices 1 à 5.

1. Parmi les triangles suivants, lequel ou lesquels peut-on utiliser pour former un dallage?

   a) triangle isocèle   **b)** triangle rectangle   **c)** triangle scalène

2. Parmi les quadrilatères suivants, lequel ou lesquels peut-on utiliser pour former un dallage?

   a) rectangle   **b)** parallélogramme   **c)** losange

   d) cerf-volant   **e)** polygone non régulier   **f)** chevron

3. On peut utiliser deux figures ou plus pour former un dallage. Nomme les blocs formes qu'on peut combiner pour former un dallage. Quelles sont les caractéristiques des figures que l'on peut utiliser pour former un dallage?

Passe à l'action

4. Parmi les figures suivantes, laquelle peut-on utiliser pour former un dallage?

   a)   **b)**   **c)**

5. Détermine si on peut utiliser une combinaison des figures de l'exercice 4 pour former un dallage.

6. Explique les figures et les combinaisons de figures qui formeront un dallage en fonction de la mesure des angles où les sommets se rencontrent.

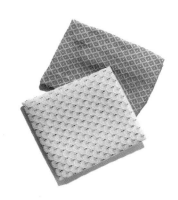

10.6 — Les motifs formant des mosaïques

Le papier peint, les tissus, le papier d'emballage et les tapis sont quelques exemples de créations qui comportent souvent des motifs formant des mosaïques.

Fais une recherche •

À l'aide de blocs formes, de papier à points ou d'un logiciel de géométrie dynamique, crée un motif à partir de deux figures ou plus qui peuvent former un dallage (section 10.5).

Analyse •

Utilise des blocs formes, du papier à points ou un logiciel de géométrie dynamique pour faire les exercices 1 à 3.

1. **a)** Forme un dallage avec des triangles équilatéraux. Colorie les triangles pour créer un motif différent de celui de l'illustration ci-contre.
   b) Décris les transformations ou les symétries que l'on peut voir dans ton motif.

2. **a)** Forme un dallage avec des carrés. Colorie les carrés pour créer un motif différent de celui de l'illustration ci-contre.
   b) Décris les transformations ou les symétries que l'on peut voir dans ton motif.

3. Choisis une figure de base qui peut former un dallage. Modifie-la. Ensuite, crée un motif en formant un dallage avec la forme modifiée. Regarde l'exemple ci-contre.

4. L'artiste néerlandais M. C. Escher est célèbre pour ses illustrations. Il crée des mosaïques à partir de figures transformées. Consulte Internet pour en savoir plus au sujet d'Escher et de son art.

Pour accéder à des sites Web sur M. C. Escher et son art, rends-toi à l'adresse suivante :
www.dlcmcgrawhill.ca.

10.7 Tour d'horizon : La création de motifs à l'aide de la géométrie

GÉ Tu mets sur pied ta propre entreprise de fabrication de papier peint, de tissu ou de papier d'emballage. Ton produit comporte des motifs qui forment une mosaïque.

Choisis ton entreprise.

Crée un logo.

- Décris les caractéristiques principales de ton entreprise qui doivent paraître dans le logo.
- Applique tes connaissances sur la conception d'un logo pour concevoir un logo qui fait ressortir ces caractéristiques principales.
- Décris les transformations et les symétries que tu as utilisées.
- Décris les caractéristiques de ton logo qui représentent bien ton entreprise.

Conçois un échantillon du produit de ton entreprise.

- Applique tes connaissances sur les motifs pour concevoir une mosaïque. Tu dois partir d'une figure de base modifiée qui peut former un dallage.
- Décris les transformations et les symétries que l'on peut voir dans ta mosaïque.

1. Pour chaque motif, décris la façon dont on a utilisé la symétrie et les transformations.

   a)

   b) Drapeau de la Corée du Sud

   c)

   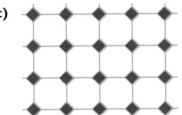

   d)

2. **a)** À l'aide d'un logiciel de géométrie dynamique, construis un parallélogramme avec un point à la rencontre des axes.

   b) Applique une réflexion par rapport à l'axe horizontal au parallélogramme.

   c) Applique une rotation de 90° à l'image obtenue en b) autour du point d'origine.

   d) Applique une translation $(-1, 3)$ à l'image obtenue en c).

   e) Fais subir une homothétie de facteur 2 à l'image obtenue en d).

   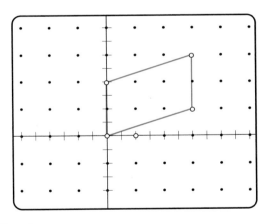

3. **a)** Imagine une figure simple qui pourrait être à la base d'un logo pour une épicerie, une bijouterie ou la boutique d'une ou d'un fleuriste.

   b) Construis la figure imaginée en a) à l'aide d'un logiciel de géométrie dynamique, de conception ou de dessin, ou encore sur du papier quadrillé.

   c) Conçois un logo avec des transformations de la figure en b).

   d) Décris la manière dont tu as utilisé les transformations.

4. **a)** Donne trois exemples de figures qu'on peut utiliser pour former un dallage.

   b) Quelles sont les caractéristiques des figures qu'on peut utiliser pour former un dallage?

5. **a)** Conçois un motif de dallage à partir d'une figure modifiée.

   b) Conçois un motif de dallage à partir de deux figures modifiées ou plus.

   c) Décris les symétries que l'on peut voir dans tes motifs en a) et en b).

Glossaire

A

agrandissement (m.) : Dessin ou maquette à l'échelle de taille supérieure à l'objet original ; toutes les dimensions sont proportionnelles.

aire (f.) : Mesure, en unités carrées, de la surface délimitée par une région plane.

aire totale (f.) : Aire de toutes les surfaces d'un objet tridimensionnel.

angle droit (m.) : Angle mesurant 90°.

assurance responsabilité civile (f.) : Assurance qui protège des coûts liés à des dégâts ou à une négligence dont on pourrait tenir une ou un locataire responsable.

B

bail (m.) : Convention de location écrite qui donne à la ou au locataire le droit légal d'occuper un logement locatif.

budget (m.) : Plan méthodique des revenus et des dépenses.

C

capacité (f.) : Quantité de substance qu'un récipient peut contenir.

cession de bail (f.) : Entente qui permet à une autre personne de prendre un bail existant ; transfert de bail à une nouvelle ou à un nouveau locataire.

charge de copropriété (f.) : Montant payé par la ou le propriétaire d'un appartement en copropriété pour couvrir l'entretien et la réparation des parties communes, comme le toit et les couloirs.

circonférence (f.) : Mesure du contour d'un cercle.

congruent (adj.) : Se dit de figures qui ont une taille et une forme identiques.

copropriété (f.) : Droit de propriété ; ce terme ne désigne pas un type ou un style de logis, puisqu'on peut posséder en copropriété une maison en rangée, un appartement dans un immeuble bas ou une tour d'habitation.

coûts d'habitation (m. pl.) : Coûts englobant le capital du prêt hypothécaire, les intérêts sur le prêt hypothécaire, l'impôt foncier et le chauffage d'une habitation.

cylindre (m.) : Objet tridimensionnel dont les faces supérieure et inférieure sont des cercles parallèles congruents reliés par une face courbe.

D

dessin à l'échelle (m.) : Dessin dont toutes les dimensions sont proportionnelles à celles de l'objet original.

diagramme à bande (m.) : Diagramme qui sert à comparer des données représentées par des bandes espacées de manière égale ; aussi appelé **diagramme à colonnes**.

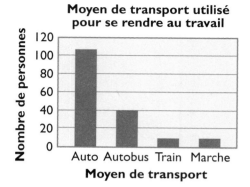

diagramme à bandes doubles (m.) : Diagramme qui permet de comparer deux ensembles de données semblables à l'aide de deux ensembles de bandes représentant les données.

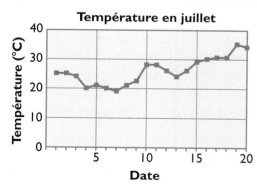

diagramme à colonnes (m.) : Voir diagramme à bandes.

diagramme à ligne brisée (m.) : Diagramme qui représente des données à l'aide de segments de droite ; les diagrammes à ligne brisée illustrent souvent une évolution chronologique.

diagramme à ligne brisée double (m.) : Diagramme qui permet de comparer deux ensembles de données semblables à l'aide de deux ensembles de segments de droite.

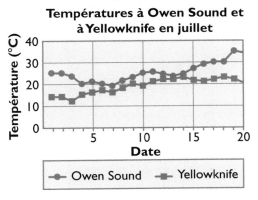

Températures à Owen Sound et à Yellowknife en juillet

diagramme circulaire (m.) : Diagramme en forme de cercle qui se divise en secteurs représentant les parties d'un tout ; aussi appelé **diagramme en secteurs**.

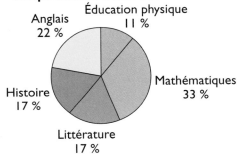

Temps consacré aux devoirs

diagramme en secteurs (m.) : Voir diagramme circulaire.

diorama (m.) : Représentation d'une scène à l'aide d'une maquette.

données (f. pl.) : Ensemble de faits, de mesures ou de valeurs recueillis dans le cadre d'un sondage ou d'une expérience.

droits de cession immobilière (m. pl.) : Droits payés à l'achat de biens immeubles ; le montant est établi en fonction du prix d'achat.

E

échantillon (m.) : Petit groupe choisi parmi une population ; les données recueillies grâce à l'échantillon servent à faire des prédictions pour l'ensemble de la population.

échantillon aléatoire (m.) : Échantillon pour lequel tous les membres de la population en considération ont d'égales chances de sélection.

échantillon représentatif (m.) : Échantillon qui présente les mêmes caractéristiques que la population étudiée.

essai (m.) : Action ou ensemble d'actions effectuées lors d'une expérience aléatoire ; par exemple, pour une expérience, l'essai peut consister à jeter un dé ; pour une autre, l'essai peut consister à lancer une pièce de monnaie quatre fois.

événement (m.) : Sous-ensemble de l'ensemble des résultats possibles ; par exemple, il y a quatre possibilités pour l'événement de tirer un as d'un jeu de cartes : un as de trèfle, un as de carreau, un as de cœur et un as de pique.

F

facteur de risque (m.) : Condition qui n'est pas favorable au succès.

former un dallage (v.) : Disposer des figures de façon à couvrir une surface plane sans laisser d'espace entre les figures et sans les superposer.

frais fixes (m. pl.) : Dépenses qui demeurent inchangées d'un mois à l'autre, par exemple, les versements d'assurance automobile.

frais variables (m. pl.) : Dépenses qui diffèrent d'un mois à l'autre, par exemple l'épicerie.

G

graphique (m.) : Diagramme illustrant les relations entre des quantités variables.

H

homothétie (f.) : Transformation qui a pour effet d'agrandir ou de réduire une figure selon un facteur donné, de sorte que l'image est semblable, ou proportionnelle, à la figure originale.

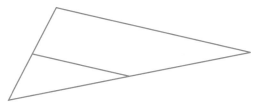

hypoténuse (f.) : Le côté le plus long d'un triangle rectangle. Il est opposé à l'angle droit.

I

impôt foncier (m.) : Impôt perçu par une municipalité (ville, village ou territoire) afin de payer des services comme l'enlèvement des ordures ménagères, le recyclage, les parcs et les loisirs ; l'impôt foncier est un pourcentage de l'évaluation foncière de la propriété.

L

locataire (f. ou m.) : Personne qui fait la location d'un appartement.

logo (m.) : Symbole distinctif qui sert à représenter une entreprise ou un organisme.

M

méthode d'échantillonnage (f.) : Procédé constituant à recueillir des données d'un échantillon, par exemple par un sondage, par une expérience, par un comptage ou par une mesure.

modèle à l'échelle (m.) : Représentation tridimensionnelle de taille supérieure ou inférieure à l'objet original ; toutes les dimensions sont proportionnelles.

N

nombre aléatoire (m.) : Nombre choisi au hasard sans modèle apparent ou sans raison précise.

P

périmètre (m.) : Mesure du contour d'un objet.

période d'amortissement (f.) : Durée prévue pour le remboursement d'un prêt, hypothécaire ou autre.

pictogramme (m.) : Diagramme qui représente des données à l'aide de symboles.

polygone régulier (m.) : Figure dont tous les côtés et tous les angles sont égaux, par exemple un triangle équilatéral ou un carré.

population (f.) : Ensemble des individus ou des éléments pris en considération.

prêt hypothécaire (m.) : Prêt garanti par des biens immeubles.

prime d'assurance (f.) : Somme exigée par la compagnie d'assurances pour la couverture des risques.

prisme rectangulaire (m.) : Objet tridimensionnel ayant pour bases opposées des rectangles congruents parallèles et dont les autres faces sont des rectangles.

probabilité (f.) : Vraisemblance ou chance de réalisation d'un événement ; rapport entre le nombre de résultats favorables et le nombre de résultats possibles.

probabilité empirique (f.) : Voir probabilité expérimentale.

probabilité expérimentale (f.) : Rapport entre le nombre de résultats favorables et le nombre total de résultats possibles déterminé par la collecte de données.

probabilité théorique (f.) : Rapport entre le nombre de résultats favorables et le nombre de résultats possibles calculé à partir de faits connus.

R

rayon (m.) : Distance entre le centre d'un cercle et sa circonférence.

réflexion (f.) : Transformation par laquelle une figure est réfléchie par rapport à un axe, de sorte que l'image est congruente à la figure originale, mais orientée en sens inverse.

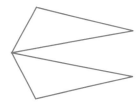

réponse tendancieuse (f.) : Réponse qui favorise un certain résultat à cause de la formulation des questions de sondage.

résultat (m.) : Issue d'une expérience aléatoire.

résultat favorable (m.) : Issue souhaitée d'une expérience aléatoire ; par exemple, si on souhaite qu'une pièce de monnaie lancée en l'air tombe du côté face, le résultat favorable est un côté face.

résultat possible (m.) : Issue possible d'une expérience aléatoire ; par exemple, les deux résultats possibles lorsqu'on lance une pièce de monnaie sont un côté pile et un côté face.

résultats équiprobables (m. pl.) : Résultats qui ont des chances égales de se produire ; par exemple, une pièce de monnaie qu'on lance a autant de chances de tomber du côté pile que du côté face.

rotation (f.) : Transformation selon laquelle une figure tourne autour d'un point fixe, de sorte que l'image est congruente à la figure originale, mais orientée de façon différente.

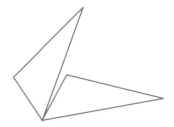

S

services publics (m. pl.) : Chauffage, électricité et eau.

simulation (f.) : Expérience aléatoire conçue pour représenter un événement réel ; par exemple, lancer une pièce de monnaie pour déterminer si le prochain enfant à naître dans une famille sera un garçon ou une fille.

sondage (m.) : Ensemble de questions servant à recueillir des données ; le sondage peut se faire au téléphone, par entrevue ou par courrier.

sous-louer (v.) : Louer à une autre personne un appartement dont on est la ou le locataire.

statistique (f.) : Discipline ayant pour but la collecte, la classification et l'interprétation de données.

Statistique Canada : Organisme gouvernemental qui voit à la collecte, à la classification et à l'analyse de données concernant de nombreux aspects de la vie au Canada.

studio (m.) : Appartement situé dans un immeuble et composé d'une seule grande pièce qui combine le salon, la chambre à coucher et un espace cuisine.

symétrie (f.) : Propriété d'une figure qui correspond à sa propre image si on lui fait faire une rotation inférieure à 360° ou si on la plie par rapport à un axe.

symétrie axiale (f.) : Propriété d'une figure qui correspond à sa propre image si on la plie le long d'une ligne. Aussi symétrie de réflexion.

symétrie de révolution (f.) : Propriété d'une figure qui correspond à son image si on lui fait faire un tour inférieur à 360° ; aussi appelé **symétrie par rotation.**

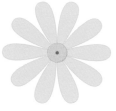

symétrie de rotation (f.) : Voir symétrie de révolution.

symétrie par réflexion (f.) : Voir symétrie axiale.

T

tableau des effectifs (m.) : Tableau utilisé pour comptabiliser des fréquences.

Nombre de lettres	Compte	Fréquence
1					3
2	卌 卌 卌 ||||	19
3	卌 卌 卌 |||	23
4	卌 卌 卌 卌	20

théorème de Pythagore (m.) : Relation entre les longueurs des côtés d'un triangle rectangle : le carré de l'hypoténuse est égal à la somme des carrés des deux autres côtés.

transformation géométrique (f.) : Déplacement qui consiste à produire une image à partir d'une figure ; une translation, une réflexion, une rotation et une homothétie sont des transformations géométriques.

translation (f.) : Transformation selon laquelle une figure glisse sur une droite, de sorte que l'image est congruente et orientée de la même manière que la figure originale.

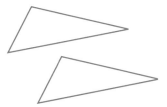

triangle rectangle (m.) : Triangle comportant un angle de 90°.

V

versements égaux (m. pl.) : Montants égaux payés chaque mois pour des frais variables comme le chauffage et dont tous les versements excédentaires ou insuffisants sont ajustés à la fin de l'année.

volume (m.) : Quantité d'espace occupé par un objet, mesurée en unités cubiques.

Réponses

Chapitre 1 : Les diagrammes

1.1 — L'interprétation des diagrammes, p. 2-9

Analyse

1. **a)** La moyenne des chutes de neige **b)** Elle est graduée de 50 cm en 50 cm. L'échelle permet de voir toutes les données. **c)** Les villes **d)** Québec **e)** Vancouver **f)** Calgary et Toronto **g)** Les réponses peuvent varier. Par exemple, le diagramme à bandes fournit un aperçu global des données et est plus facile à interpréter, mais le tableau indique des données précises. **h)** Les réponses peuvent varier. Par exemple, avantages : la pelle à neige est un élément accrocheur et on a indiqué les données exactes sur les bandes ; inconvénients : sans l'échelle verticale, le diagramme est plus long à interpréter.

2. **a)** Le pourcentage d'emplois dans le domaine du transport par secteur. **b)** Les réponses peuvent varier.

3. **a)** 99 % **b)** 101 % **c)** Les pourcentages sont arrondis. **d)** 40-54 ans **e)** Les réponses peuvent varier. Par exemple, le diagramme à bandes doubles indique des données précises. **f)** Puisque le nombre d'années est différent dans chaque groupe d'âges, les groupes d'âges n'ont pas la même pondération.

4. **a)** 10 s **b)** Entre 1960 et 1964 ; le segment de droite montre la plus importante baisse entre ces deux points. **c)** Entre 1988 et 1992 ; le segment de droite monte entre ces deux points. **d)** Les données sont continues et conviennent bien à un diagramme à ligne brisée. Les diagrammes à ligne brisée sont habituellement employés pour illustrer un changement au fil du temps.

5. **a)** Des variations semblables pour les deux lignes. **b)** Les deux statistiques ont plutôt une relation inverse. **c)** Non. Lorsque le nombre de meurtres diminue, le nombre d'accidents de la route augmente.

6. **a)** Police et incendie **b)** Service de la dette et Bibliothèques, parcs et loisirs **c)** Santé, services sociaux et protection de l'enfance et Autres **d)** 100 % ; le cercle représente un tout. **e)** 870 $

Passe à l'action

8. **a)** Diagramme à bandes doubles ; il permet de comparer deux ensembles de données discrètes. **b)** Diagramme à ligne brisée ; il illustre les variations de température en fonction du temps. **c)** Diagramme circulaire ; il montre les différentes parties d'un tout. **d)** Diagramme à ligne brisée double ; il compare deux ensembles de températures en fonction du temps. **e)** Diagramme à bandes ; il compare des données discrètes.

9. **a)** Les deux diagrammes représentent les mêmes données et sont faciles à lire. Le diagramme circulaire indique des pourcentages du total des taxes. Le diagramme à bandes indique les montants spécifiques déboursés pour chaque service. **b)** Les réponses peuvent varier. Par exemple, le diagramme circulaire procure plus de renseignements en un coup d'œil.

10. **a)** 25 % **b)** 25 % **c)** 10 % **d)** 66,7 % **e)** 66,7 % **f)** 60 % **g)** 70 % **h)** 25 %

11. Certaines personnes travaillent dans des secteurs qui n'apparaissent pas dans le diagramme, parce que ces secteurs sont trop petits ou trop spécifiques.

1.2 — La construction de diagrammes, p. 10-13

Analyse

1. **a)**

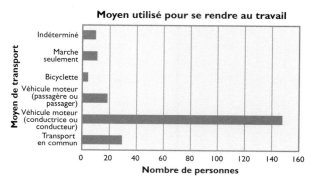

b) Véhicule moteur (conductrice ou conducteur) **c)** Bicyclette **d)** Un diagramme à bandes convient bien pour illustrer des données discrètes. **e)** Il pourrait faire connaître les incidences sur l'environnement liées à un nombre si important de personnes qui se rendent au travail en véhicule moteur.

2. **a)**

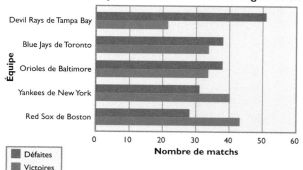

b) I) Les Red Sox de Boston **II)** Les Red Sox de Boston **III)** Les Devil Rays de Tampa Bay **IV)** Les Devil Rays de Tampa Bay **c)** L'équipe classée au premier rang a le plus de victoires et le moins de défaites, tandis que l'équipe classée au dernier rang a le moins de victoires et le plus de défaites. **d)** Un diagramme à bandes doubles convient bien pour illustrer deux ensembles de données discrètes.

3. a)

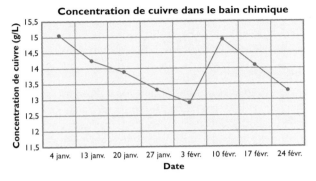

Concentration de cuivre dans le bain chimique

b) Entre le 4 janvier et le 3 février, entre le 10 février et le 24 février. **c)** Entre le 3 février et le 10 février. **d)** Un diagramme à ligne brisée convient bien pour illustrer des données continues et une évolution chronologique. **e)** Non, le diagramme à ligne brisée est celui qui convient le mieux.

Passe à l'action

4. a) 5° C   **b)** 6° C   **c)** 6° C   **d)** 12° C
e) 9° C   **f)** 10° C

5. a)

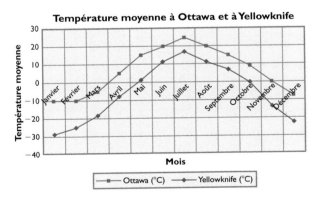

Température moyenne à Ottawa et à Yellowknife

b) La plus élevée : à Ottawa, en juillet ; la moins élevée : à Yellowknife, en janvier. **c)** La plus grande différence : en janvier ; la plus petite différence : en juillet et en septembre. **d)** Il est plus facile d'utiliser le diagramme, car on voit immédiatement. **e)** Un diagramme à ligne brisée double convient bien pour illustrer deux ensembles de données continues et une évolution chronologique.

6. a)

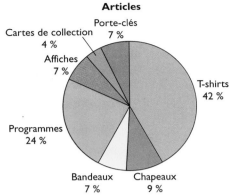

Articles

b) Le plus fabriqué : les t-shirts ; le moins fabriqué : les cartes de collection. **c)** Il montre les différentes parties de la production d'articles de concert. **d)** Il faudrait plusieurs diagrammes circulaires parce qu'un diagramme circulaire ne représente qu'un ensemble de données.

7. a) Les réponses peuvent varier. Par exemple, un diagramme circulaire, pour représenter les parties d'un tout. **b)** Les réponses peuvent varier. Par exemple, un diagramme à ligne brisée, pour représenter des données continues en fonction du temps. **c)** Les réponses peuvent varier. Par exemple, un diagramme à ligne brisée triple, pour comparer trois ensembles de données discrètes. **d)** Les réponses peuvent varier. Par exemple, un diagramme à bandes triples, pour comparer trois ensembles de données discrètes. **e)** Les réponses peuvent varier. Par exemple, un diagramme à ligne brisée double, pour comparer deux ensembles de données continues.

8. Les réponses peuvent varier. Par exemple, un diagramme à ligne brisée montre bien des données continues en fonction du temps.

1.3 **Gros plan sur... le travail en usine, p. 14-15**

1. a) Thomas lit les bons de commande, détermine la quantité et le type de cartes à fabriquer, et place les cartes vierges dans la grosse machine. **b)** Il lit les bons de commande pour connaître la quantité et le type de cartes à fabriquer, et la marche à suivre. **c)** 50 **d)** 0,05 mm **e)** S'assurer de l'absence de défaut sur les cartes. **f)** Il doit les faire parvenir au service d'inspection.

2. Pour indiquer que c'est lui qui a traité la commande.

3. a) Pour savoir quand il doit ajouter du cuivre dans le bain chimique. **b)** Il doit apprendre à prendre des mesures et à construire des diagrammes.

4. a) Entre le 15 et le 22 octobre, entre le 5 et le 12 novembre et entre le 19 et le 26 novembre. **b)** Entre le 8 et le 15 octobre, entre le 22 octobre et le

5 novembre, entre le 12 et le 19 novembre, et entre le 26 novembre et le 3 décembre. **c)** Il a ajouté du cuivre. Le diagramme indique que la concentration augmente après le 15 octobre. **d)** Il a ajouté du cuivre pour empêcher le niveau de descendre trop bas. **e)** Les lignes pointillées indiquent la zone où la concentration doit se situer. **f)** Un diagramme à ligne brisée illustre des données continues et une évolution chronologique.

5. Les réponses peuvent varier.

(1.4) La construction et l'interprétation de diagrammes, p. 16-19

Analyse

1. **b)** On peut faire des diagrammes à bandes, circulaires ou à ligne brisée. Les réponses peuvent varier. Par exemple, un diagramme à bandes illustre correctement les données, mais ne montre pas la continuité ; un diagramme circulaire ne convient pas à ces données ; un diagramme à ligne brisée montre clairement la variation des données, mais ne donne pas de valeurs exactes. **c)** Les réponses peuvent varier. Par exemple, un diagramme à ligne brisée convient mieux pour illustrer des données continues en fonction du temps. **d)** Entre 2000 et 2050. **e)** Les réponses peuvent varier. Par exemple, les progrès médicaux et une hausse du taux de naissances. **f)** Les réponses peuvent varier. Par exemple, à partir des tendances antérieures.

2. **b)** Les réponses peuvent varier. Par exemple, un diagramme à ligne brisée double compare deux ensembles de données continues en fonction du temps. **c)** Entre 1950 et 2000. **d)** Entre 1950 et 2000. **e)** Les réponses peuvent varier. Par exemple, il y a eu une vague d'immigration aux États-Unis et au Canada de gens provenant des pays d'Europe. **f)** Les réponses peuvent varier. Par exemple, le taux de naissances diminue et des gens émigrent de l'Europe vers d'autres continents.

Passe à l'action

3. **b)** Les réponses peuvent varier. Par exemple, un diagramme à bandes illustre des données discrètes. **c)** Les réponses peuvent varier. Par exemple, un diagramme circulaire ne convient pas parce que les données ne font pas partie d'un tout. **d)** Les quilles **e)** Les réponses peuvent varier. **f)** Les réponses peuvent varier. Par exemple, pour perdre du poids ou maintenir un poids stable.

4. **a)** 25 % **b)** Violet et orange **c)** Bleu **d)** Vert

5. **b)** Les réponses peuvent varier. Par exemple, un diagramme à bandes doubles compare deux ensembles de données discrètes. **c)** D'Europe **d)** Les réponses peuvent varier. Par exemple, dans les deux villes, beaucoup de personnes sont nées en Asie.

6. **b)** Les réponses peuvent varier. Par exemple, un diagramme circulaire illustre les parties d'un tout. **c)** Les loisirs **d)** L'épargne **e)** Les réponses peuvent varier. Par exemple, il pourrait dépenser moins pour ses loisirs.

(1.5) Les diagrammes qui portent à confusion, p. 20-23

Analyse

1. **a)** II **b)** L'échelle verticale commence à 194 000 $ au lieu de 0. **c)** 5,25 % **d)** La différence est évidente et la rupture dans la ligne verticale attire l'attention.

Passe à l'action

2. **a)** Les bouteilles ont des dimensions différentes, soit la hauteur et la largeur. On a l'impression, par exemple, que la production des années 2000 est égale à neuf fois celle des années 1970, alors qu'elle égale à trois fois seulement celle des années 1970. **b)** Les réponses peuvent varier. Par exemple, l'entreprise A. Cola pourrait utiliser ce diagramme pour donner l'impression que sa production a augmenté plus qu'en réalité. **c)** Les réponses peuvent varier. Par exemple, on pourrait tracer des bandes ou utiliser des bouteilles de largeur uniforme et de hauteur variable.

3. **a)** 2e et 3e trimestres de la 1re année. **b)** Les ventes de la 2e année augmentent plus graduellement. **c)** L'échelle verticale commence à 120 000 $ plutôt qu'à 0. **d)** L'échelle verticale pourrait commencer à 0 avec une rupture entre 0 et 120 000 pour attirer l'attention.

4. **a)**

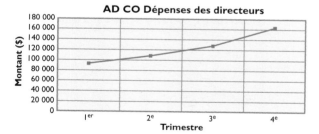

L'échelle verticale est comprimée et l'échelle horizontale est allongée, ce qui donne l'impression d'une augmentation très graduelle.

b)

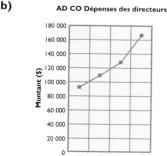

L'échelle verticale est allongée et l'échelle horizontale est comprimée, ce qui donne l'impression d'une augmentation très rapide.

5. **a) I)** Le coût de la vie augmente rapidement. **II)** Le coût de la vie augmente très lentement.
b) Commencer l'échelle verticale à 0 et ajouter une rupture entre 0 et 80 pour attirer l'attention.

6. Les réponses peuvent varier.

1.6 — **Tour d'horizon : Vendre des chaussures, p. 24-25**

1. **b)** Les réponses peuvent varier. Par exemple, un diagramme à ligne brisée convient bien pour illustrer des ventes sur plusieurs années ; un diagramme à bandes convient bien pour illustrer les ventes par pointure ; un diagramme circulaire convient bien pour illustrer toutes les parties des ventes de septembre, en supposant qu'il y ait seulement quatre types de chaussures.

2. Elles ont diminué.

3. Les réponses peuvent varier. Par exemple, elles augmenteront en raison de la tendance de croissance générale.

4. La pointure 7.

5. Elle devrait commander 74 chaussures de pointure 9, en supposant qu'elle en vendra la même quantité le mois suivant.

6. Tout-aller pour femmes.

7. Allonger l'échelle verticale ou comprimer l'échelle horizontale, ou les deux.

8. Les montants de ses ventes montrent déjà qu'elle vend plus de chaussures pour femmes.

1.7 — **Résumé, p. 26-27**

1. Les réponses peuvent varier.

2. **a)** Les réponses peuvent varier. Par exemple, il représente les parties du budget total. **b)** Éducation **c)** Santé publique **d)** Les réponses peuvent varier. Par exemple, deux des catégories suivantes : Éducation, Services sociaux et Police et incendie.

3. **b)** Le groupe qui consacre plus de 15 heures par semaine à Internet. **c)** Les réponses peuvent varier. Par exemple, le pourcentage d'internautes qui consacrent moins de temps à leur famille est égal au pourcentage d'internautes qui consacrent moins de temps à leurs amies et amis, tandis que, pour les deux autres groupes, le pourcentage d'internautes qui consacrent moins de temps à leurs amies et amis est inférieur au pourcentage d'internautes qui consacrent moins de temps à leur famille. **d)** Un diagramme à bandes doubles compare bien deux ensembles de données

discrètes. **e)** Les réponses peuvent varier. Par exemple, un diagramme à ligne brisée double ne conviendrait pas parce que les deux ensembles de données ne sont pas continus et n'illustrent pas une évolution chronologique.

4. Les réponses peuvent varier. Par exemple, un diagramme à ligne brisée illustre des données continues en fonction du temps.

5. **a)** Entre 1 an et 2 ans. **b)** Les réponses peuvent varier. Par exemple, on pourrait prolonger la ligne.

6. **a)** Les réponses peuvent varier. Par exemple, on a l'impression que Géno occupe la plus grande part de marché. **b)** Les réponses peuvent varier. Par exemple, oui. En fait, c'est Abco qui occupe la plus grande part de marché.

7. Les réponses peuvent varier. Par exemple, commencer l'échelle des ventes à 0, mais faire une rupture entre 0 et un montant légèrement inférieur aux ventes de la première année. On peut aussi représenter les ventes de la deuxième année par une bande deux fois plus haute et deux fois plus large que celle de la première année. La première suggestion n'est pas trompeuse, la rupture attire l'attention sur l'échelle ; cependant, la deuxième suggestion est trompeuse, car la deuxième bande donne l'impression que les ventes sont quatre fois plus importantes que celles représentées par la première bande.

Chapitre 2 : La collecte et l'organisation de données

2.1 — **Les méthodes d'échantillonnage, p. 30-32**

Analyse

1. **a)** L'échantillon se limite à deux villes canadiennes. Il devrait comprendre des Canadiennes et des Canadiens provenant de villes et de villages de tout le pays.
b) L'échantillon se limite aux communautés d'une seule région de pêche. Il devrait comprendre des Canadiennes et des Canadiens provenant de villes et de villages de tout le pays. **c)** L'échantillon se limite à un seul quart de travail d'une journée de la semaine. Il devrait comprendre quelques voitures de chaque quart de travail. **d)** L'échantillon se limite à la clientèle d'un seul restaurant. Il devrait aussi comprendre des gens choisis autour de la ville, loin des restaurants.

2. **a)** La mesure **b)** Le sondage **c)** Le sondage **d)** La mesure

3. **a)** Les réponses peuvent varier. Par exemple : Devrait-on consacrer plus d'argent à la sécurité ? Oui Non Sans opinion **b)** Aucune amélioration nécessaire.

Passe à l'action

4. **a)** Un sondage ; on peut recueillir les données nécessaires en posant des questions aux gens. **b)** La

mesure ; on peut recueillir les données nécessaires en mesurant la concentration. **c)** Le comptage ; on peut recueillir les données nécessaires en comptant les véhicules qui passent à l'intersection. **d)** L'expérience ; on peut recueillir les données nécessaires en faisant l'essai de quelques feux d'artifice. **e)** Le sondage ; on peut recueillir les données nécessaires en posant des questions aux gens.

5. **a)** Les réponses peuvent varier. Par exemple : Croyez-vous qu'on devrait faire passer les trains dans des régions moins peuplées ? Oui Non Sans opinion **b)** Aucune amélioration nécessaire. **c)** Aucune amélioration nécessaire. **d)** Les réponses peuvent varier. Par exemple : Il est bien de garder les dauphins dans des parcs marins. En accord 5 4 3 2 1 En désaccord

6. **a)** Les réponses peuvent varier. Par exemple, 500 adultes des deux sexes provenant de régions rurales et urbaines, choisis à travers la province. **b)** Les réponses peuvent varier. Par exemple, un sondage téléphonique, ce qui permet de joindre des gens à travers la province à partir d'un emplacement.

7. Les réponses peuvent varier. Par exemple, les expériences, le comptage et la mesure pour s'assurer que les céréales sont de bonne qualité et en quantité adéquate.

8. **a)** Les réponses peuvent varier. Par exemple, le comptage et la mesure. **b)** Les réponses peuvent varier. Par exemple, dans un diagramme à ligne brisée.

9. **a)** Les réponses peuvent varier. Par exemple, question biaisée : Comment classeriez-vous la nouvelle supersérie télévisée XYZ ? Excellente 1 2 3 4 5 Médiocre ; question non biaisée : Comment classeriez-vous la nouvelle série télévisée XYZ ? Excellente 1 2 3 4 5 Médiocre **b)** Les réponses peuvent varier. Par exemple, question biaisée : Compte tenu des récentes agressions dans la région, croyez-vous qu'il y a trop de criminalité dans la région ? Oui Non Sans opinion ; question non biaisée : Comment classeriez-vous l'incidence de la criminalité dans la région ? Lourde 5 4 3 2 1 Légère

(2.2) Les statistiques dans les médias, p. 33-34

Analyse

1. Les réponses peuvent varier. Exemples : Quel est l'aspect environnemental qui se détériore ? Est-ce que le taux de chômage tient compte des ouvrières et des ouvriers saisonniers ? des travailleuses et des travailleurs autonomes ? Pourquoi le taux de chômage de l'Ontario a-t-il augmenté ?

2. **a)** Aide à l'enfance Canada **b)** Le gouvernement fédéral. **c)** Le gouvernement fédéral. **d)** Les réponses peuvent varier. Par exemple : En tant que jeune Canadienne ou jeune Canadien, quelles sont tes principales préoccupations ? **e)** L'échantillon comprenait un groupe de jeunes âgés de 7 à 18 ans choisis au hasard

parmi 57 communautés canadiennes. La population comprend tous les jeunes du Canada. **f)** 1 200 jeunes. **g)** La pauvreté. **h)** Tout ce qui peut empêcher d'avoir une alimentation nutritive, de fréquenter une école, de dormir dans un lit et d'avoir des vêtements à porter. **i)** Les réponses peuvent varier. Par exemple : A-t-on demandé aux personnes interrogées de choisir parmi une liste de préoccupations ou leur a-t-on demandé d'énumérer leurs préoccupations ? **j)** Les réponses peuvent varier. Par exemple, assez. Le titre indique correctement la principale préoccupation des enfants sondés.

3. Les réponses peuvent varier.

4. Les réponses peuvent varier.

(2.3) L'organisation et l'interprétation de données, p. 35-38

Analyse

1. **a)** La population comprend tous les élèves du secondaire à Toronto. L'échantillon comprend 35 élèves du secondaire à Toronto. **b)** Les réponses peuvent varier. Par exemple, le diagramme à bandes. **c)** La plus populaire : Toronto ; la moins populaire : Calgary. **d)** Cela dépend de la façon dont l'échantillon a été choisi, mais l'échantillon est trop petit. **e)** Les réponses peuvent varier. Par exemple, un magasin d'articles de sport de Toronto pourrait utiliser ces données pour décider du nombre de chandails de chaque équipe à garder en stock.

Passe à l'action

2. **a)** Les réponses peuvent varier. **b)** Les réponses peuvent varier. Par exemple : Parmi les choix suivants, quelle émission diffusée aux heures de grande écoute le mardi écoutez-vous le plus souvent ? [énumère cinq émissions]. **c)** Les réponses peuvent varier. **d)** Les réponses peuvent varier.

3. **b)** Les réponses peuvent varier. Par exemple, L'hôpital. **c)** Les réponses peuvent varier. Par exemple, Cœur brisé, parce que c'est l'émission préférée. **d)** Les réponses peuvent varier. Par exemple, les créatrices et les créateurs d'émissions de télévision.

4. **a)** Les réponses peuvent varier. **b)** Les réponses peuvent varier. Par exemple : Parmi les restaurants rapides suivants, quel est celui qui sert la nourriture la plus saine, selon toi ? [énumère cinq restaurants rapides populaires] **c)** Les réponses peuvent varier. **d)** Les réponses peuvent varier.

5. **a)** Les réponses peuvent varier. **b)** Les réponses peuvent varier. Par exemple : Parmi les activités suivantes, quelle est celle pour laquelle tu aimerais avoir plus d'argent à consacrer ? [énumère cinq activités, comme aller au cinéma]. **c)** Les réponses peuvent varier. **d)** Les réponses peuvent varier.

6. b) Les réponses peuvent varier. Par exemple, un diagramme à bandes représente bien des données discrètes. **c)** La plus courante : 3 lettres ; la moins courante : 1, 8 ou 9 lettres. **d)** Les réponses peuvent varier. Par exemple, à l'aide du tableau, car il indique les nombres exacts. **e)** Les réponses peuvent varier. Par exemple, un diagramme à bandes doubles. **f)** Les réponses peuvent varier. Par exemple, moins de longs mots dans le livre pour enfants. **g)** Les réponses peuvent varier. Par exemple, des rédactrices et des rédacteurs de matériel promotionnel pour déterminer la longueur des mots à utiliser en fonction de leur public cible.

(2.4) Gros plan sur… le télémarketing, p. 39-40

1. a) Vendre des articles par téléphone et conserver des dossiers. **b)** Afin de conserver des données sur ses ventes par téléphone. **c)** Il a reçu une formation sur place par son employeur. **d)** C'est à ce moment de la journée qu'on a le plus de chances de joindre les gens à la maison.

2. Les réponses peuvent varier.

3. a) Les réponses peuvent varier. Par exemple, en choisissant des noms au hasard à partir de listes d'abonnées et d'abonnés à la câblodistribution à travers le pays. **b)** Les réponses peuvent varier. Par exemple : Parmi les émissions de télévision suivantes, laquelle regardez-vous ? [énumère les nouvelles séries télévisées et les autres émissions du même genre]. **c)** Les réponses peuvent varier. Par exemple, en utilisant un compteur informatisé. **d)** Les réponses peuvent varier. Par exemple, un diagramme à bandes. **e)** Les réponses peuvent varier. Par exemple, pour aller chercher des publicitaires.

4. a) Les réponses peuvent varier. **b)** Les réponses peuvent varier. **c)** Les réponses peuvent varier. Exemples : [énumère des restaurants rapides ainsi qu'une description de la nourriture servie par chacun] Évalue de 1 à 5 chacun des restaurants rapides suivants, 1 pour un excellent rapport qualité-prix et 5 pour un mauvais rapport qualité-prix. [énumère des restaurants] Évalue de 1 à 5 chacun des restaurants rapides suivants, 1 pour les mets ayant le meilleur goût et 5 pour les mets ayant le moins bon goût. [énumère des restaurants] Évalue de 1 à 5 chacun des restaurants rapides suivants, 1 pour la nourriture la plus saine et 5 pour la nourriture la moins saine. [énumère des restaurants]. **d)** Les réponses peuvent varier. **e)** Les réponses peuvent varier. Par exemple, un diagramme à bandes pour chaque question. **f)** Les réponses peuvent varier. Par exemple, n'importe quel restaurant au sondage pour choisir la façon de faire sa promotion s'il a de bons résultats ou pour trouver des moyens de s'améliorer s'il a de mauvais résultats.

(2.5) Tour d'horizon : Réaliser un sondage, p. 41

1.-3. Les réponses peuvent varier.

(2.6) Résumé, p. 42-43

1. a) Les réponses peuvent varier. Par exemple, les gens qui vivent à Barrie et dans les environs et qui font leur épicerie à Barrie. **b)** Les réponses peuvent varier. Par exemple, 200 résidentes et résidents de Barrie et les environs, choisis au hasard.

2. a) Les réponses peuvent varier. Par exemple, les gens qui fréquentent le centre communautaire. **b)** Les réponses peuvent varier. Par exemple, un sondage réalisé en questionnant directement les personnes qui entrent dans le centre communautaire. **c)** Les réponses peuvent varier. Par exemple : Si un kiosque alimentaire devait ouvrir au centre communautaire, quels aliments parmi les choix suivants aimeriez-vous y acheter ? [énumère les aliments qui pourraient y être vendus].

3. Les réponses peuvent varier. Par exemple, l'échantillon ne convient pas. Il devrait comprendre des personnes fumeuses et non fumeuses à travers la communauté, la province ou le pays, selon la population.

4. Les réponses peuvent varier. Exemples : Combien de Canadiennes et de Canadiens a-t-on interrogés ? Quelles questions a-t-on posées ? Qu'entend-on par « ne sont pas satisfaits » ? Qui a réalisé le sondage ? Qui a financé ce sondage ?

5. a) Les réponses peuvent varier. Par exemple, le hockey est l'activité à laquelle les deux groupes consacrent le plus de temps ; le soccer est l'activité à laquelle les jeunes adultes consacrent le moins de temps ; la natation est l'activité à laquelle les adolescentes et les adolescents accordent le moins de temps ; et le football est l'activité pour laquelle il y a une plus grande différence entre le temps consacré pour les deux groupes. **b)** Les réponses peuvent varier. Exemples : Comment a-t-on choisi l'échantillon ? Quelle question a-t-on posée ? **c)** Les réponses peuvent varier. Par exemple, le diagramme à bandes doubles convient le mieux, parce qu'il permet de comparer deux ensembles de données discrètes ; le diagramme à ligne brisée double convient le moins, parce que les données ne sont pas continues.

6. b)

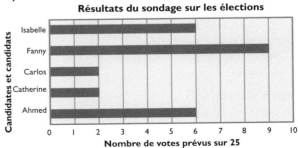

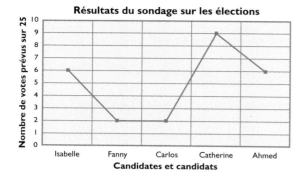

Résultats du sondage sur les élections

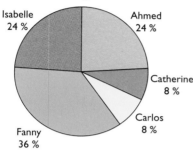

Résultats du sondage sur les élections

c) Les réponses peuvent varier. Par exemple, le diagramme à bandes, parce qu'il illustre bien des données discrètes. d) Les réponses peuvent varier. Par exemple, Fanny a le plus grand appui ; Isabelle et Ahmed sont à égalité pour la deuxième place ; Carlos et Catherine sont à égalité pour la dernière place, avec le moins d'appuis.

Chapitre 3 : Les probabilités

3.1 Les prédictions, p. 46-47

Analyse

1. a) $\frac{1}{100}$ **b)** $\frac{5}{100}$ **c)** 0 **d)** 0 **e)** $\frac{13}{100}$ **f)** $\frac{79}{100}$ **g)** $\frac{8}{100}$ **h)** $\frac{92}{100}$ **i)** $\frac{13}{100}$ **j)** 1

2. a) Non **b)** Peut-être **c)** Le 25 avril **d)** Les réponses peuvent varier. Par exemple, pour déterminer si elle peut se rendre au chalet en bateau et la date à laquelle on peut marcher sur la glace.

3. a) Les réponses sont les mêmes. **b)** Les deux ont une probabilité de 0. Les réponses peuvent varier. Par exemple, la probabilité que la fête du Travail soit en juillet. **c)** C'est une certitude, 1. Les réponses peuvent varier. Par exemple, la probabilité que la Fête du Canada soit en juillet. **d)** Avril.

Passe à l'action

4. 0,432, 0,410, 0,401, 0,373, 0,337, 0,291, 0,284

5. a) $\frac{18}{300}$ ou $\frac{3}{50}$ **b)** $\frac{44}{300}$ ou $\frac{11}{75}$ **c)** $\frac{192}{300}$ ou $\frac{16}{25}$ **d)** $\frac{124}{300}$ ou $\frac{31}{75}$

6. a) Les réponses peuvent varier. Par exemple, pour mieux cibler ses annonces. **b)** Les réponses peuvent varier. Par exemple, pour mieux placer ses annonces.

3.2 La prise de décisions, p. 48-49

Analyse

1. a) 0,0005 **b)** Le risque : perdre tout son argent ; le profit : gagner des prix fabuleux. **c)** Les réponses peuvent varier.

Passe à l'action

2. Les réponses peuvent varier. Par exemple, déclencher un incendie et développer de nombreuses maladies, comme des maladies du poumon, des troubles cardiaques ou un accident vasculaire cérébral.

3. a) I) 0,001 **II)** 0,05 **III)** 0,2 **IV)** 0,749 **V)** 1 **VI)** 0 **b)** Les réponses peuvent varier. Par exemple, le risque : décider d'acheter des choses dont on n'a pas besoin et qu'on n'a pas les moyens d'acheter parce qu'on espère obtenir un bon rabais ; le profit : bénéficier de rabais sur ses achats.

4. a) Les réponses peuvent varier. Par exemple, la probabilité que la chirurgie ne soit pas efficace et la probabilité que la chirurgie cause des lésions aux yeux. **b)** Les réponses peuvent varier. Par exemple, les risques : des lésions aux yeux ou aucune amélioration de la vision ; le profit : une vision corrigée. **c)** Les réponses peuvent varier.

5. a) Les réponses peuvent varier. Par exemple, la probabilité qu'il y ait de la pluie, des vents forts, une chaleur extrême ou des températures particulièrement fraîches pour la saison cette journée-là. **b)** Les réponses peuvent varier. Par exemple, les risques : des conditions météorologiques peu favorables ; les profits : la beauté de la nature et le plaisir d'être à l'extérieur. **c)** Les réponses peuvent varier.

6. a) Les réponses peuvent varier. Par exemple, la probabilité de se faire voler sa voiture, la probabilité que le système de sécurité soit défectueux et la probabilité qu'on endommage la voiture lors du vol, après le déclenchement de l'alarme. **b)** Les réponses peuvent varier. Par exemple, les risques : on peut voler sa voiture si elle n'est pas équipée d'un système de sécurité et le système de sécurité peut être défectueux et ne pas empêcher le vol de sa voiture ; les profits : un sentiment de sécurité lié au fait d'avoir un système de sécurité. **c)** Les réponses peuvent varier.

7. a) Les réponses peuvent varier. Par exemple, la probabilité que les Obligations d'épargne du Canada rapportent des intérêts tellement minimes qu'ils ne suivent même pas l'inflation, la probabilité que l'entreprise de ses amis réussisse ou fasse faillite, et la probabilité que la maison coûte trop cher à entretenir et que Claudine doive la vendre, peut-être à perte. **b)** Les réponses peuvent varier. Par exemple, les risques : gagner un taux de rendement tellement minime avec les Obligations d'épargne du Canada qu'il ne suit même pas l'inflation, perdre une partie ou la totalité de ses investissements dans l'entreprise de ses amis ou devoir vendre la maison à perte parce qu'elle n'a pas assez d'argent pour l'entretenir ; les profits : obtenir un taux de rendement garanti avec les Obligations d'épargne du Canada, avoir la satisfaction de venir en aide à ses amis, avoir un placement sûr dans l'entreprise de ses amis et avoir la satisfaction d'être propriétaire d'une maison. **c)** Les réponses peuvent varier.

3.3 Gros plan sur… le travail de réceptionniste dans un cabinet médical, p. 50-51

1. Accueillir les patientes et les patients, sortir leur dossier, vérifier leur carte d'assurance maladie, les accompagner jusqu'à une salle d'examen, répondre au téléphone, planifier les rendez-vous et répondre aux questions des gens.

2. Les réponses peuvent varier. Par exemple, de l'entregent, un bon sens de l'organisation et des connaissances en informatique.

3. Les réponses peuvent varier. Par exemple, de l'amabilité, de la patience, un tempérament calme et de la souplesse de caractère.

4. **a)** 30 % **b)** Une protection contre la grippe et la pneumonie. **c)** De légers effets secondaires. **d)** Les réponses peuvent varier.

5. **a)** $\frac{1}{1\,000\,000}$ ou 0,0001 % **b)** $\frac{1}{1000}$ ou 0,1 %

   c) Le risque : développer une encéphalite ; les profits : se protéger contre la rougeole, les oreillons et la rubéole. **d)** Les réponses peuvent varier. Par exemple, les risques d'attraper la rougeole sans le vaccin.

3.4 La comparaison des probabilités, p. 52-53

Analyse

1. **a)** Résultat favorable : que la glace casse à une date donnée ; résultat possible : que la glace casse.
   b) Résultat favorable : obtenir une carte qui offre un rabais donné ; résultat possible : obtenir une carte.

2. **a)** $\frac{1}{10}$ **b)** Oui **c)** 0,1 et 10 %

3. **a)** $\frac{1}{15}$, 0,066 666 … ou 6,67 % **b)** $\frac{2}{18}$, 0, 111 111

ou 11,11 % **c)** Les réponses peuvent varier. Par exemple, oui, avec des nombres plus grands, les probabilités se rapprocheraient de la théorie.

Passe à l'action

4. **a)** $\frac{3}{25}$, 0,12, 12 % **b)** $\frac{1}{250}$, 0,004, 0,4 %

   c) $\frac{1}{5000}$, 0,0002, 0,02 %

5. Les réponses peuvent varier.

6. 10 000 prix

7. Steve Nash a réussi le plus de paniers dans les deux cas. Un sur deux est supérieur à 43,6 % et 88,3 % est supérieur à 0,75 %.

3.5 Les expériences sur les probabilités, p. 54-55

Analyse

1. **a)** 2 **b)** 4, si l'ordre importe ; 3, si l'ordre n'importe pas. **c)** 6 **d)** 52 **e)** 12

2. **a)** Oui **b)** Oui **c)** Non

3. **a)** $\frac{1}{6}$ **b)-e)** Les réponses peuvent varier.

Passe à l'action

4. **a)-c)** Les réponses peuvent varier. **d)** $\frac{2}{8}$ ou $\frac{1}{4}$. Les réponses peuvent varier. **e)** Les réponses peuvent varier.

5. **a)-c)** Les réponses peuvent varier. **d)** $\frac{16}{36}$ ou $\frac{4}{9}$. Les réponses peuvent varier. **e)** Les réponses peuvent varier.

3.6 Les simulations, p. 56-58

Analyse

1.-2. Les réponses peuvent varier.

Passe à l'action

3. **a)** 2 **b)** Les réponses peuvent varier. Par exemple, lancer quatre pièces de monnaie si le côté pile équivaut à un garçon. **c)-h)** Les réponses peuvent varier.

4.-6. Les réponses peuvent varier.

7. **a)-c)** Les réponses peuvent varier. **d)** Les mois n'ont pas tous le même nombre de jours.

8. Les réponses peuvent varier.

3.7 Tour d'horizon : Les anniversaires au printemps, p. 59

Les réponses peuvent varier.

1. Julie, parce qu'elle a la meilleure moyenne au bâton.

2. **a)** 0,0001 **b)** 0,0001 **c)** 0,0005 **d)** Les réponses peuvent varier. Par exemple, le risque : ne rien gagner ; les profits : gagner des prix en argent comptant et soutenir une œuvre de bienfaisance. **e)** Les réponses peuvent varier.

3. **a)** Les réponses peuvent varier. Par exemple, les CPG peuvent rapporter tellement peu d'intérêts qu'ils ne suivent même pas l'inflation, les fonds communs de placement peuvent avoir de mauvaises performances et Pierre peut perdre une partie ou la totalité de son investissement, et les actions de premier ordre peuvent avoir de mauvaises performances et Pierre peut perdre une partie ou la totalité de son investissement. **b)** Les réponses peuvent varier. Par exemple, les risques : les CPG peuvent avoir un taux de rendement tellement bas qu'il ne suit même pas l'inflation, Pierre peut perdre une partie ou la totalité de son investissement dans les fonds communs de placement ou perdre une partie ou la totalité de son investissement dans les actions de premier ordre ; les profits : obtenir un taux de rendement garanti avec les CPG, avoir un bon rendement avec les fonds communs de placement et avoir un bon rendement avec les actions de premier ordre. **c)** Les réponses peuvent varier.

4. $\frac{17}{160}$ ou 0,106 25

5. $\frac{2173}{7548}$; 0,28789 ; 28,789 %

6. 381

7. 30 fois, car la probabilité que la pièce tombe du côté face est de 50 %.

8. **a)-c)** Les réponses peuvent varier. **d)** $\frac{3}{8}$. Les réponses peuvent varier. **e)** Les réponses peuvent varier.

9. **a)-b)** Les réponses peuvent varier. **c)** La probabilité d'obtenir quatre autocollants différents. **d)-f)** Les réponses peuvent varier.

Chapitre 4 : La location d'un appartement

4.1 **La disponibilité des logements, p. 64-66**

Analyse

1. Les réponses peuvent varier.

2. **a)** Un studio ne comprend pas de chambre séparée. **b)** 593,33 $ **c)** Le réfrigérateur, la cuisinière, la laveuse et la sécheuse. **d)** Un logement dans une maison. **e)** Les services publics et le téléphone.

3. Les réponses peuvent varier. Par exemple, l'emplacement, le nombre de chambres, la disponibilité, le loyer, ce qui est compris dans le loyer, le numéro de téléphone de la personne à contacter.

Passe à l'action

4. **a)** Les réponses peuvent varier. Par exemple, l'emplacement au centre-ville, la disponibilité. **b)** Les réponses peuvent varier. Par exemple, le nombre de chambres. **c)** Les réponses peuvent varier. Par exemple, l'emplacement au nord-est de la ville. **d)** Les réponses peuvent varier. Par exemple, le numéro de téléphone de la personne à contacter, le loyer, ce qui est compris dans le loyer. **e)** Les réponses peuvent varier. Par exemple, ce qui est compris dans le loyer. **f)** Les réponses peuvent varier. Par exemple, l'emplacement.

5. Les réponses peuvent varier.

6. Les réponses peuvent varier.

7. Les réponses peuvent varier.

4.2 **La location d'un logement, p. 67-70**

Analyse

1. Jeu-questionnaire

1. c

2. e

3. a

4. Vrai

5. Faux

6. Faux

7. Vrai

8. Faux

9. Vrai

10. Vrai

11. Faux

12. Vrai

Passe à l'action

2. **a)** Les propriétaires et les locataires ont une convention écrite qui spécifie que la location est pour une période de 12 mois. **b)** Il n'y a pas d'entente de location qui précise un terme spécifique. **c) I)** 9 900 $ **II)** 9 880 $ **III)** 10 400 $ **d)** Les réponses peuvent varier. Par exemple, pour l'emplacement.

3. **a)** 27,50 $ **b)** 27,20 $ **c)** 21,75 $ **d)** 18,90 $ **e)** 34,10 $ **f)** 30,34 $

4. **a)** 720,30 $ **b)** 883,15 $

5. **a)** 732,27 $ **b)** 5 %, cette augmentation n'est pas légale.

6. **a)** 800 $ **b)** 831,20 $ **c)** 31,20 $ **d)** 48 $

7. **a)** Un paiement équivalant à deux mois de loyer, la moitié étant pour le premier mois de loyer et l'autre moitié pour le dernier mois de loyer. **b)** Pour se protéger contre les locataires qui partent sans donner d'avis. **c)** 40,80 $ **d)** 699,72 $ **e)** 19,72 $

8. a) Oui **b)** Coralie **c)** Coralie et Stéphanie

9. a) Non **b)** Au propriétaire. **c)** À Tristan.

 4.3 Les droits et les responsabilités des propriétaires et des locataires, p. 71-74

Analyse

1. Jeu-questionnaire sur les responsabilités d'entretien des locataires et des propriétaires

1. Vrai

2. Vrai

3. Vrai

4. Faux

5. Vrai

6. Vrai

7. Vrai

8. Vrai

9. Vrai

10. Faux

Jeu-questionnaire sur les droits à la vie privée des locataires

1. A

2. B

3. C

4. B

5. C

6. A

7. C

8. C

Jeu-questionnaire sur le renouvellement et la résiliation d'un bail

1. Faux

2. Vrai

3. Vrai

4. Faux

5. Vrai

6. Vrai

7. Faux

8. Faux

9. Vrai

10. Vrai

Passe à l'action

2. a

3. b

4. Le 30 septembre

5. Le 30 juin

6. Le 26 mars

7. a) Les réponses peuvent varier. Par exemple, n'importe quels cinq motifs parmi les suivants : ne pas payer son loyer en entier, payer souvent son loyer en retard, s'adonner à des activités illégales, compromettre la sécurité des autres, empêcher les propriétaires ou les autres locataires de jouir des lieux, permettre à trop de personnes d'habiter dans le logement (surpeuplement) ou, dans le cas d'un logement subventionné, ne pas déclarer ses revenus. **b)** L'animal cause des dommages injustifiés, provoque de graves allergies chez une autre personne, nuit à la jouissance normale des lieux par les propriétaires ou les autres locataires, par exemple par des bruits dérangeants, met en danger la sécurité des autres par un comportement agressif ou appartient à une espèce ou à une race d'animaux dangereux. **c)** Les réponses peuvent varier. Par exemple, n'importe quels quatre motifs parmi les suivants : la ou le propriétaire veut reprendre possession du logement locatif dans le but de l'occuper elle-même ou lui-même, ou de le faire occuper par sa conjointe ou son conjoint ou partenaire de même sexe, un de ses enfants ou son père ou sa mère ; la ou le propriétaire a accepté de vendre l'ensemble d'habitation et l'acheteuse ou l'acheteur veut prendre possession du logement locatif pour l'occuper elle-même ou lui-même ou le faire occuper par sa conjointe ou son conjoint ou partenaire de même sexe, un de ses enfants ou son père ou sa mère ; la ou le propriétaire prévoit d'importants travaux de réparations ou de rénovation qui exigent un permis de construire et la libre possession du logement durant les travaux ; la ou le propriétaire prévoit faire démolir le logement locatif ; dans une maison de soins occupée dans le seul but de recevoir des services de réadaptation ou des traitements thérapeutiques, le programme de réadaptation ou de thérapie est terminé ; la ou le locataire d'une maison de soins a besoin d'un niveau de soins que la ou le propriétaire ne peut fournir, ou n'a plus besoin du niveau de soins fourni.

4.4 Gros plan sur... les concierges d'immeuble, p. 75

1. Les réponses peuvent varier.

2. 3 360 $

3. 117 280 $

4. Les réponses peuvent varier. Par exemple, apprendre des techniques d'entretien, travailler avec des personnes d'expérience.

4.5 Les coûts mensuels liés à la location et à l'entretien d'un appartement, p. 76-78

Analyse

1. **a)** 19,44 $ par mois **b)** 232,20 $ par année **c)** 211,68 $ par année **d)** 192,24 $ par année **e)** 18,14 $ par mois **f)** 222,48 $ par année

2. 14,58 $

3. Afin d'avoir un dossier de tout ce que tu possèdes qui te servira de preuve pour une déclaration de sinistre.

4. **a)** La compagnie d'assurances va payer jusqu'à 1 000 000 $ si on te tient responsable et si on te poursuit. **b)** 300 $, parce que tu paies un montant moins élevé en cas d'accident.

Passe à l'action

5. **a)** 322,92 $ **b)** 26,91 $

6. **a)** 832 $ **b)** Oui

7. **a)** 972 $ **b)** 2 900 $

8. **a) Assurance** Prime annuelle : 192 $; TVP : 15,36 $; Total : 207,36 $

Téléphone Total partiel : 52,75 $; TPS : 3,69 $; TVP : 4,22 $; Total du mois courant : 60,66 $

Câblodistribution Total partiel : 79,24 $; TPS : 5,55 $; TVP : 6,34 $; Total du mois courant : 91,13 $

b) 17,28 $ **c)** 169,07 $ **d)** 1 500 $

4.6 Tour d'horizon : La location d'un appartement, p. 79

Les réponses peuvent varier.

4.7 Résumé, p. 80-81

1. **a)** Les réponses peuvent varier. Par exemple : La piscine est-elle située à l'intérieur ou à l'extérieur ? L'appartement est-il climatisé ? **b)** 985 $ **c)** Le 31 août **d)** 1 800 $ **e)** 926,10 $ **f)** Non

2. Les réponses peuvent varier. Par exemple, les assurances, le téléphone, la câblodistribution, le chauffage, l'électricité et l'eau.

3. Au cas où quelqu'un se blesse dans ton appartement et te poursuit en justice.

4. Les réponses peuvent varier.

5. **a)** Le revenu d'une semaine. **b)** 615,38 $ **c)** 59 280 $

6. **a)** cession du bail **b)** franchise **c)** date de résiliation **d)** sans ascenseur **e)** sous-location **f)** assurance des biens meubles **g)** studio **h)** services publics **i)** bail **j)** dépôt de garantie **k)** éviction **l)** avis de résiliation **m)** Tribunal du logement de l'Ontario

7. **a)** 585 $ **b)** Le téléphone

Chapitre 5 : L'achat d'une maison

5.1 La recherche d'une maison, p. 84-85

Analyse

1. **a)** Les réponses peuvent varier. **b)** Les réponses peuvent varier.

2. Les réponses peuvent varier.

3. **a)** Les réponses peuvent varier. **b)** Les réponses peuvent varier. **c)** Les réponses peuvent varier.

Passe à l'action

4. **a)** Les réponses peuvent varier. Exemples donnés : **Maison neuve :** tu peux choisir les caractéristiques, comme les armoires de cuisine et les recouvrements de plancher ; tout est neuf et devrait fonctionner correctement. **Maison en revente :** le voisinage peut être déjà établi ; la maison peut être décorée et l'extérieur peut être paysagé ; puisque la maison est déjà construite, il ne devrait pas y avoir de retard pour emménager. **b)** Les réponses peuvent varier. Exemples donnés : **Avantages :** un seul paiement mensuel couvre plusieurs dépenses que tu devrais prévoir séparément autrement ; tu es propriétaire sans les inconvénients liés à l'entretien. **Inconvénients :** tu paies pour certains services que tu ne veux peut-être pas, dont tu n'as pas besoin ou que tu pourrais faire toi-même. **c)** Maison unifamiliale : une maison qui n'est pas attachée à une autre ; maison jumelée : une des deux maisons attachées par un côté ; duplex : une des deux maisons fabriquée une par-dessus l'autre ; maison en rangée : une de plusieurs maisons attachées par les côtés ; maison mobile : une maison qui n'a pas de sous-sol, qu'on peut donc déplacer.

5. Les réponses peuvent varier. Par exemple, certains quartiers ont des résidentes et des résidents solidaires, sont sécuritaires et sont près de lieux prisés, comme un lac, un centre commercial ou des installations de loisirs. Les gens sont prêts à payer plus cher pour vivre dans de tels quartiers.

5.2 L'achat d'une maison, p. 86-90

Analyse

1. **a)** 13 500 $ **b)** 134 600 $ **c)** Oui, car le prêt hypothécaire représente plus de 75 % de la valeur de la maison.

2. **a)** 9 000 $ **b)** 12 500 $ **c)** 18 200 $ **d)** 22 500 $ **e)** 31 250 $ **f)** 45 500 $

3. 915 $

Passe à l'action

4. **a)** 86 100 $ ou 105 900 $, selon le versement initial. **b)** 26 500 $ **c)** Non, parce que le prêt hypothécaire ne représente pas plus de 75 % de la valeur de la maison.

5. **Tous les achats :** les droits de cession immobilière ; les intérêts de l'hypothèque (en supposant que les maisons ne soient pas payées en argent comptant) ; les primes pour l'assurance des biens ; les honoraires de notaire pour la révision de l'offre d'achat et de la convention d'achat-vente, la rédaction des documents de l'hypothèque, la recherche du titre de la propriété et le règlement des derniers détails ; les frais de déménagement (en supposant que tu aies quelque chose à déménager) ; les frais de branchement aux services publics. **Certains des achats :** la TPS s'il s'agit d'une maison neuve ; les honoraires d'une courtière ou d'un courtier en hypothèques si on a utilisé les services d'une telle personne pour trouver une institution prêteuse ; les primes et les frais de l'assurance du prêt hypothécaire si le prêt hypothécaire est assuré (une assurance est nécessaire si l'hypothèque représente plus de 75 % de la valeur de la maison) ; les impôts fonciers payés par versements ajoutés aux paiements de l'hypothèque (habituellement nécessaires si l'hypothèque représente plus de 75 % de la valeur de la maison) ; les frais d'évaluation, au besoin (une évaluation est souvent requise si le prêt hypothécaire n'est pas assuré) ; les frais d'expertise, si l'institution prêteuse exige une expertise et que tu n'en as pas fait la demande à la vendeuse ou au vendeur dans l'offre d'achat ; les rajustements des impôts fonciers et des services publics, si la vendeuse ou le vendeur a payé au-delà de la date de transfert de la propriété ; les frais pour l'inspection de la maison si l'inspection a eu lieu avant la signature de l'entente ; les réparations et les rénovations, souhaitées ou nécessaires ; l'achat d'électroménagers, de meubles, d'habillage de fenêtres, d'autres décorations et d'outils, au besoin ; les frais liés à l'attestation de la qualité et de la quantité de l'eau si la maison a un puits.

6. Une agente immobilière ou un agent immobilier pour trouver la maison ; une courtière ou un courtier en hypothèques pour négocier le prêt hypothécaire, une évaluatrice ou un évaluateur pour déterminer la valeur de la maison ; une arpenteuse ou un arpenteur pour effectuer l'expertise de la propriété ; une ou un notaire pour la révision de l'offre d'achat et de la convention d'achat-vente, la rédaction des documents de l'hypothèque, la recherche du titre de la propriété et le règlement des derniers détails ; et une inspectrice ou un inspecteur pour s'assurer qu'il n'y a aucun défaut de construction.

7. **a)** Versement initial : 37 000 $, montant de l'hypothèque : 97 000 $. **b)** Aucun, la TPS ne s'applique pas à l'achat de maisons en revente. **c)** Non, car leur prêt hypothécaire représente moins de 75 % de la valeur de leur maison. **d)** 3 177 $ **e)** 40 177 $

8. 134 000 $ est inférieur à 250 000 $, tu dois donc utiliser la première formule :
134 000 $ × 0,01 = 1 340 $, 1 340 $ − 275 $ = 1 065 $

9. **a)** 1 225 $ **b)** 3 423,50 $ **c)** 5 455 $ **d)** 675 $
e) 244 $ **f)** 4 460 $

10. Les réponses peuvent varier.

11. 168 130,84 $

12. **a)** 160 000 $ **b)** La TPS ne s'applique pas à l'achat de maisons en revente. **c)** Leur prêt hypothécaire représente plus de 75 % de la valeur de la maison. **d)** 1 825 $ **e)** 3 888,86 $ **f)** 53 888,86 $

13. Les réponses peuvent varier. Par exemple, leur revenu, le montant qu'ils peuvent débourser pour le versement initial, si leur maison est neuve ou en revente, s'il s'agit d'une copropriété ou d'une propriété ainsi que l'emplacement de la maison.

(5.3) Les coûts liés à l'entretien d'une maison, p. 91-93

Analyse

1. **a)** 2 900 $ **b)** 3 560 $ **c)** 4 220 $ **d)** 4 700 $

2. **a)** Les réponses peuvent varier. Par exemple, les vieilles maisons en revente peuvent nécessiter des réparations pressantes ; les maisons neuves peuvent demander moins d'entretien que les vieilles maisons en revente. **b)** Les réponses peuvent varier. Par exemple, on ne paie pas de TPS sur les maisons en revente ; les maisons neuves devraient demander peu de réparations pendant une certaine période et moins d'entretien.

3. **a)** Un seul paiement mensuel couvre de nombreuses dépenses que les autres propriétaires doivent prévoir séparément. **b)** Les réponses peuvent varier.

4. **a)** Non, car elle établit un budget pour l'eau et le déneigement. **b)** Les réponses peuvent varier. Par exemple, le chauffage, l'électricité, le téléphone, la câblodistribution, l'assurance habitation et les frais liés à l'entretien, et les réparations.

5. **a)** 1 440,29 $, 120,02 $ par mois **b)** 1 746,22 $, 145,52 $ par mois **c)** 2 436,81 $, 203,07 $ par mois **d)** 2 724,48 $, 227,04 $ par mois

6. **a)** Lorsque le prêt hypothécaire représente plus de 75 % de la valeur de la maison. **b)** Un seul paiement mensuel est pratique pour les propriétaires. L'institution prêteuse sait que les taxes sont payées lorsque les paiements sont compris avec le paiement du prêt hypothécaire.

7. **a)** Impôts fonciers : 223,07 $; chauffage : 77,50 $; électricité : 62,75 $; eau : 14,37 $; entretien et réparations : 300 $ **b)** 1 592,69 $ **c)** 3 355,41 $

8. **a)** Impôts fonciers : 267,71 $; entretien et réparations : 300 $ **b)** 1 941,78 $ **c)** 4 019,13 $

9. **a)** Les réponses peuvent varier. Par exemple, le prêt hypothécaire, les impôts fonciers, l'assurance habitation, l'entretien et les réparations, et peut-être l'électricité et le chauffage. **b)** Les réponses peuvent varier. Exemples donnés : la **possession d'une maison** est un investissement dont la valeur peut augmenter ; les propriétaires peuvent rénover et décorer à leur goût et selon leur budget, et profiter du fait qu'ils ont leur propre cour. La **location** signifie des frais mensuels inférieurs et aucune responsabilité liée au déneigement ou à l'entretien de la cour.

10. Les réponses peuvent varier.

(5.4) **Gros plan sur... les agences immobilières, p. 94-95**

1. 9 120 $

2. **a)** L'autre agence et son agente ou son agent. **b)** Si elle est à la fois l'agente de la vente et de l'achat. **c)** 2 280 $

3. **a)** 2 400 $ **b)** 3 600 $ **c)** 4 800 $ **d)** 1 389 $

4. 7 725 $

5. 212 765,96 $

6. Les réponses peuvent varier. Exemples donnés : **l'avantage de vendre par soi-même** est de ne pas avoir à payer la commission d'une agente immobilière ou d'un agent immobilier ; **les avantages de vendre à l'aide des services d'une agente ou d'un agent** sont que la maison est présentée à beaucoup plus d'acheteuses et d'acheteurs potentiels grâce à la liste du SIA ; l'agente ou l'agent a accès à de l'information qui aide à établir le prix de vente, fait visiter la maison et négocie la vente.

(5.5) **Tour d'horizon : L'achat d'une maison, p. 96**

1. **a)** 166 900 $ **b)** Les réponses peuvent varier. **c)** Les estimations peuvent varier. Les coûts : les droits de cession immobilière ; les intérêts de l'hypothèque ; les primes pour l'assurance des biens ; les honoraires de notaire ; les frais de déménagement ; les frais de branchement aux services publics ; la TPS s'il s'agit d'une maison neuve ; les honoraires d'une courtière ou d'un courtier en hypothèques si on a utilisé les services d'une telle personne pour trouver une institution prêteuse ; les primes et les frais de l'assurance du prêt hypothécaire si le prêt hypothécaire est assuré (une assurance est nécessaire si l'hypothèque représente plus de 75 % de la valeur de la maison) ; les impôts fonciers payés par versements ajoutés aux paiements de l'hypothèque (habituellement nécessaires si l'hypothèque représente plus de 75 % de la valeur de la maison) ; les frais d'évaluation, au besoin (une évaluation est souvent requise si le prêt hypothécaire

n'est pas assuré) ; les frais d'expertise, si l'institution prêteuse exige une expertise et que tu n'en as pas fait la demande à la vendeuse ou au vendeur dans l'offre d'achat ; les rajustements des impôts fonciers et des services publics, si la vendeuse ou le vendeur a payé au-delà de la date de transfert de la propriété ; les frais pour l'inspection de la maison si l'inspection a eu lieu avant la signature de l'entente ; les réparations et les rénovations, souhaitées ou nécessaires ; l'achat d'électroménagers, de meubles, d'habillage de fenêtres, d'autres décorations et d'outils, au besoin ; les frais liés à l'attestation de la qualité et de la quantité de l'eau si la maison a un puits. **d)** Les estimations peuvent varier. Les coûts mensuels : le paiement du capital et des intérêts de l'hypothèque, les impôts fonciers, le chauffage, l'électricité, l'eau, le téléphone, la câblodistribution, l'assurance habitation, l'entretien et les réparations. **e)** Les réponses peuvent varier.

2. Savoir comparer des montants d'argent, savoir estimer et calculer des montants d'argent, savoir calculer des pourcentages.

(5.6) **Résumé, p. 97**

1. Les réponses peuvent varier. Par exemple, l'emplacement, le style, l'âge, la taille, les caractéristiques et la construction.

2. Les réponses peuvent varier.

3. **a)** 61 300 $ **b)** 245 000 $

4. La TPS

5. **a)** 150 000 $ **b)** Leur prêt hypothécaire représente plus de 75 % de la valeur de la maison. **c)** 1 625 $ **d)** 3 868,56 $ **e)** 43 868,56 $

6. **a)** Les réponses peuvent varier. **b)** L'hypothèque, l'impôt foncier et le chauffage. **c)** Le capital et les intérêts du prêt hypothécaire, les impôts fonciers et le chauffage. **d)** Le PITC désigne le paiement du capital, des intérêts, des taxes et des coûts de chauffage. **e)** Un seul paiement mensuel couvre de nombreuses dépenses que les autres propriétaires doivent prévoir séparément.

Chapitre 6 : Le budget familial

(6.1) **Un logement à prix abordable, p. 100-104**

Passe à l'action

1. **a)** 400 $ **b)** 833,25 $ **c)** 800 $ **d)** 720 $ **e)** 308 $ **f)** 507,50 $

2. **a)** 512 $ **b)** 1 066,56 $ **c)** 1 109,33 $ **d)** 998,40 $ **e)** 394,24 $ **f)** 649,60 $

3. **a)** 33 600 $ **b)** 20 $ l'heure

4. **a)** 2 205,65 $ **b)** 1 689,48 $ **c)** 1 443,98 $ **d)** 1 306,11 $

5. a) 264 678 $ **b)** 304 106,40 $ **c)** 346 555,20 $ **d)** 391 833 $

Lorsqu'une période d'amortissement de 10 ans donne des paiements mensuels trop élevés.

6. a) Les réponses peuvent varier. **b)** Les réponses peuvent varier. **c)** Les réponses peuvent varier. **d)** Les réponses peuvent varier.

7. a) Non **b)** Non **c)** Non **d)** Non

8. Les réponses peuvent varier.

6.2 Les éléments du budget familial, p. 105-107

Analyse

1. Les réponses peuvent varier.

2. a) Les réponses peuvent varier. **b)** Les réponses peuvent varier.

3. a) Les réponses peuvent varier. **b)** Les réponses peuvent varier. Par exemple, on peut faire la moyenne des frais de chaque mois.

4. a) Les changements saisonniers. **b)** Ils facilitent l'élaboration du budget. **c)** Les réponses peuvent varier. Par exemple, utiliser des données antérieures, tenir compte des hausses de prix et faire la moyenne des frais pour 12 mois.

Passe à l'action

5. a) 76 $ **b)** 44,67 $ **c)** 47 $ **d)** 134 $ **e)** 25 $ **f)** 14 $

6. a) Les vêtements et les cadeaux **b)** Les réponses peuvent varier. Exemples donnés : **vêtements** : il s'achète des vêtements de façon aléatoire ; **cadeaux** : les anniversaires et d'autres événements. **c)** Il pourrait faire des moyennes comme base pour ses projections budgétaires.

7. a) 358 $ **b)** Avec quelqu'un qui paie le loyer, comme ses parents. **c)** 698,67 $

8. a) Téléphone : 36,67 $; loisirs : 64,67 $; vêtements : 119 $; cadeaux : 22,67 $; divers : 18,33 $ **b)** 665,34 $

9. Les réponses peuvent varier.

10. Les mois où il y a un événement particulier, comme une fête ou un anniversaire.

11. Un achat impulsif est un achat que tu n'as pas prévu au préalable. Un budget peut t'aider à dépenser seulement pour les articles nécessaires.

12. a) 12,80 $ par semaine **b)** 37,50 $ par semaine

13. a) Les catégories sont différentes. **b)** Les montants sont différents. **c)** Les catégories sont différentes.

6.3 Le budget mensuel, p. 108-114

Analyse

1. a) De 15 $ **b)** Essence et vidange d'huile, vêtements, articles personnels, soins médicaux et dentaires, cadeaux et abonnement. **c)** Téléphone et loisirs **d)** Il a dépassé son budget de 17 $, mais ses finances vont encore bien parce que certaines dépenses, comme les verres correcteurs et l'abonnement, ne reviendront pas le mois prochain. **e)** Les réponses peuvent varier.

Passe à l'action

2. a) 475 $ **b)** 570 $ **c)** 95 $ **d)** Les réponses peuvent varier. Par exemple, réduire ses achats de vêtements. **e)** Les réponses peuvent varier. Par exemple, avec un revenu mensuel net de 475 $, on arriverait à des dépenses mensuelles de 475 $ si on réduisait à 160 $ le budget des vêtements et à 50 $ le budget des articles personnels.

3. a) 370 $ **b)** 1 376 $ **c)** 225 $ **d)** Résultats négatifs : téléphone, transport, vêtements, loisirs et autres ; surplus budgétaire : épicerie, articles personnels et articles ménagers. **e)** Oui. Pour vérifier, additionne tous les montants réels et tous les montants prévus, et compare les deux sommes.

4. a) Les vêtements **b)** 100 $

5. 2 281 $

6. a) 80 $ **b)** 12,5 % **c)** Les vêtements, les loisirs et les articles personnels

7. a) 465 $ **b)** 59 heures

8. Les réponses peuvent varier.

9.

Revenu mensuel net	3 700 $
Dépenses mensuelles	
Frais fixes	
Épargne	370 $
Loyer	900 $
Transport en commun	90 $
Frais variables	
Vêtements	250 $
Épicerie	400 $
Loisirs	100 $
Articles personnels	75 $
Ordonnances	40 $
Articles ménagers	85 $
Total des dépenses	2 310 $

La variation d'un des éléments du budget, p. 115-117

Passe à l'action

1.

Revenu mensuel net	
Total	1 520 $

Les réponses peuvent varier. Exemple donné : En ce moment, Cathy gagne un revenu mensuel net de 1 520 $. Elle devrait augmenter son épargne de 50 $ à 150 $. Puisqu'elle travaille à temps plein, elle voudra ou devra peut-être faire passer le montant alloué à ses vêtements de 150 $ à 200 $, faire passer le montant alloué à sa nourriture de 60 $ à 90 $ et faire passer le montant alloué à ses loisirs de 65 $ à 100 $. Ces changements budgétaires augmentent de 215 $ le total de ses dépenses mensuelles, qui passent à 635 $.

Si elle déménage avec son amie et n'achète pas la voiture, elle doit ajouter 350 $ pour le loyer, ce qui comprend les services publics, le téléphone, la câblodistribution et le stationnement, environ 200 $ pour sa nourriture, environ 20 $ pour ses appels interurbains et environ 25 $ pour l'entretien. Un tel changement augmente de 595 $ le total de ses dépenses mensuelles, qui passent à 1 230 $. Elle peut se le permettre.

Si elle achète la voiture et reste chez ses parents, elle doit ajouter 210 $ pour ses paiements d'auto, 100 $ pour ses assurances, environ 120 $ pour son essence, environ 100 $ pour l'entretien et les réparations de sa voiture, et soustraire 60 $ pour son laissez-passer d'autobus. Un tel changement augmente de 470 $ le total de ses dépenses mensuelles, qui passent à 1105 $. Elle peut se le permettre.

Si elle déménage avec son amie et achète la voiture, elle doit ajouter 1 065 $ au total de ses dépenses mensuelles, qui passent à 1 700 $. Ce changement excède son budget de 180 $. Elle peut seulement se le permettre si elle n'augmente pas les dépenses associées à son emploi à temps plein.

2. Les réponses peuvent varier. Par exemple, faire passer le loyer à 675,35 $ (une augmentation d'environ 26 $) et l'épicerie à 334 $ (une réduction de 26 $).

3. Les réponses peuvent varier. Par exemple, Kyle gagne 456,20 $ de moins chaque mois. Il pourrait manger moins souvent au restaurant et réduire le montant alloué à sa nourriture de 334 $ à 200 $. Étant donné que la baisse de son revenu correspond à une période tranquille à son lieu de travail, il pourrait réduire son épargne de 290 $ à 180 $ pour s'adapter à son revenu diminué. De plus, il pourrait réduire le montant alloué à ses loisirs de 120 $ à 40 $ et le montant alloué aux vêtements de 100 $ à 20 $. De même, il pourrait utiliser moins sa voiture et réduire ses frais pour l'essence et l'huile de 120 $ à 65 $. Ces changements réduiraient le total de ses dépenses mensuelles de 459 $, ce qui suffirait pour lui permettre de s'adapter au revenu net réduit.

6.5 Gros plan sur… la remise à neuf de mobilier, p. 118

1. Les réponses peuvent varier. Par exemple, les cours de menuiserie offrent à Rita une expérience de travail du bois, les cours de mathématiques l'aident à comprendre la comptabilité de son entreprise et à mesurer les matériaux, et les cours de français lui seront utiles pour correspondre et communiquer en général.

2. **a)** 22 815 $ **b)** 438,75 $ **c)** 1 578,04 $ **d)** 157,80 $ par mois

3. 24 765 $, 8,5 %

4. 10 384,62 $ pour une location, 14 400 $ pour un achat.

6.6 Tour d'horizon : Le budget familial, p. 119

1.-2. Les réponses peuvent varier.

6.7 Résumé, p. 120-121

1. **a)** 600 $ **b)** 692,31 $ **c)** 2 186,67 $

2. Loisirs : 61 $; vêtements : 72,67 $; cadeaux : 36,67 $; divers : 18 $

3. **a)** Les réponses peuvent varier. Par exemple, le loyer, les assurances et les économies. **b)** Les réponses peuvent varier. Par exemple, la nourriture, les loisirs et les cadeaux.

4. **a)** Le transport et les loisirs **b)** 240 $ **c)** 220 $ **d)** Non

5. **a)** 32 $ **b)** I) Restaurant II) Téléphone III) Transport (tout) IV) Vêtements V) Loisirs **c)** Les restaurants, les loisirs et le transport (tout). **d)** Le téléphone et les vêtements. **e)** 8,3 % **f)** 22 $ **g)** Oui **h)** Les réponses peuvent varier.

Chapitre 7 : La mesure et l'estimation

7.1 Le système métrique, p. 124-126

Analyse

1. 6 500 m

2. **a)** Multiplier par 100 **b)** Multiplier par 1 000 **c)** Multiplier par 1 000 **d)** Multiplier par 1 000

3. 0,65 kg

Passe à l'action

4. a) Les centimètres **b)** Les mètres **c)** Les kilomètres
d) Les millimètres **e)** Les grammes **f)** Les kilogrammes
g) Les grammes **h)** Les millilitres **i)** Les litres
j) Les litres

5. a) 380 **b)** 458 **c)** 2 400 **d)** 4,35 **e)** 429 **f)** 380

6. a) 38,5 **b)** 4,32 **c)** 9,436 **d)** 3,25 **e)** 0,439 **f)** 0,0564

7. a) Plus grand, 300 cm **b)** Plus grand, 280 mm
c) Plus grand, 2 400 m **d)** Plus petit, 48,5 cm
e) Plus petit, 4,576 km **f)** Plus petit, 0,35 m
g) Plus grand, 2 400 mm **h)** Plus grand, 180 mm
i) Plus petit, 2,495 m **j)** Plus grand, 240 cm

8. a) 2,7 km **b)** 0,435 m **c)** 5 cm **d)** 4 007 m
e) 4 300 mm **f)** 300 km **g)** 5 kg **h)** 0,67 kg
i) 8 300 mL **j)** 250 mL

9. a) Multiplier par 10 **b)** 64,8 cm de long et 6,6 cm de large **c)** 7

10. a) Diviser par 10, pour réduire la mesure à 1,8 cm.
b) 64

11. a) Multiplier par 1 000, 12 000 m **b)** Diviser par 1 000, 0,535 km

12. a) 1,96 m **b)** 153 cm

13. 24,55 km

14. a) Plus gros, 5 000 mL **b)** Plus petit, 2,5 L **c)** Plus grand, 1 360 mL **d)** Plus petit, 0,85 L **e)** Plus grand, 7 100 mL **f)** Plus petit, 5,525 L

15. a) 4 000 mL **b)** 1 500 mL **c)** On multiplie par 1 000

16. a) 0,54 L **b)** 0,75 L **c)** On divise par 1 000

17. 12,13 $

(7.2) La mesure des longueurs, p. 127-129

Passe à l'action

1. a) Les pouces **b)** Les pouces **c)** Les pieds **d)** Les pouces **e)** Les milles

2. Les réponses peuvent varier. Exemples donnés :
a) $\frac{3}{4}$ de pouce **b)** 8 po **c)** $\frac{1}{2}$ po
d) 5 pi 5 po (ou 65 po) **e)** 5 pi (ou 60 po) **f)** 3 pi 5 po (ou 41 po) **g)** 4 pi 8 po (ou 56 po)

3. Les réponses peuvent varier. Exemples donnés : **a)** 2 cm **b)** 20 cm **c)** 1,4 cm **d)** 1,65 m (ou 165 cm) **e)** 1,53 m (ou 153 cm) **f)** 1,04 m (ou 104 cm) **g)** 1,42 m (ou 142 cm)

4. Les réponses peuvent varier. Exemples donnés :
a) 5,7 cm, 57 mm **b)** 3,2 cm, 32 mm **c)** 2,7 cm, 27 mm **d)** 12,5 cm, 125 mm

5. Les deux panneaux mesurent 4 pi de large. Un des panneaux mesure 4 pi de long et l'autre, 8 pi de long.

6. a) La première mesure représente l'épaisseur de la planche, soit 2 po ou $\frac{5}{4}$ de pouce. La deuxième représente la largeur de chaque planche, soit 6 po. La troisième représente la longueur de la planche, soit 8 pi, 10 pi, 12 pi ou 16 pi. **b)** 40 planches de 2 po sur 6 po sur 16 pi ou $\frac{5}{4}$ de pouce sur 6 po sur 16 pi.

7. a) Les réponses peuvent varier. Par exemple, des vis, du bois d'œuvre, des boulons, des clous et des tuyaux.
b) Les réponses peuvent varier. Par exemple, de la peinture, de la colle, de la corde, du ruban-cache et des seaux.

8. Oui, toutes les dimensions de la camionnette sont inférieures à celles du garage.

9. 198,14 $

(7.3) L'estimation des longueurs, p. 130-131

Analyse

1. Les estimations peuvent varier. Exemples donnés :
a) 18 cm **b)** 10 cm **c)** 15 cm **d)** 60 cm **e)** 14 m **f)** 40 cm

2. Les estimations peuvent varier. Exemples donnés :
a) 7 po **b)** 4 po **c)** 6 po **d)** 2 pi **e)** 15 verges **f)** 16 po

3. a) 12 mm **b)** 5 m **c)** 550 m **d)** 2 m

4. Les estimations peuvent varier. Exemples donnés :
a) 60 cm **b)** 30 cm **c)** 12 cm **d)** 1 m **e)** 2,5 m

5. a) 2 pi **b)** 3 pi **c)** 25 pi **d)** 8 po

6. Les estimations peuvent varier. Exemples donnés :
a) 7 pi **b)** 1 pi **c)** 18 po **d)** 150 verges **e)** 5 verges

7. Les réponses peuvent varier.

(7.4) L'estimation des capacités, p. 132-133

Analyse

1. a) Les millilitres **b)** Les litres **c)** Les millilitres
d) Les litres

2. Les réponses peuvent varier. Exemples : **a)** Une coquille d'œuf **b)** Une canette de boisson gazeuse **c)** Une bouteille de boisson gazeuse **d)** Une grande boîte de jus **e)** Une bouteille de rafraîchisseur d'eau **f)** Une pataugeoire

Passe à l'action

3. a) 50 L **b)** 75 mL **c)** 7 L **d)** 350 mL
e) 200 mL **f)** 40 L **g)** 2 L **h)** 5 L **i)** 625 mL

4. Les estimations peuvent varier. Exemples : **a)** 300 mL **b)** 10 L **c)** 50 000 L **d)** 80 L **e)** 15 mL **f)** 350 L

5. 4,8 L

6. 1,5 L

7. 200 bouteilles

8. 1,345 L

9. Les réponses peuvent varier. Exemples :
a) 950 mL, cela devrait suffire pour deux couches. **b)** 3,7 L, c'est la quantité minimale requise. **c)** 284 mL, c'est plus qu'il n'en faut. **d)** 3,7 L, cela devrait suffire pour deux couches.

7.5 **L'estimation de grands nombres, p. 134-135**

Passe à l'action

1. a) Les réponses peuvent varier. Par exemple, 350 ; environ 11 rangées d'environ 32 voitures chacune. **b)** Les réponses peuvent varier. Par exemple, 525 ; une personne par voiture pour environ la moitié des voitures et deux personnes par voiture pour l'autre moitié.

2. Les réponses peuvent varier. Par exemple, 80 ; environ 10 colonnes et 8 rangées.

3. a) Les réponses peuvent varier. Par exemple, 528 ; 11 étages, environ 22 fenêtres par étage sur le côté large et 2 par étage sur le côté mince. **b)** Les réponses peuvent varier. Par exemple, 308 ; 11 étages, 7 balcons par étage par côté, 1 balcon par appartement, en moyenne 2 personnes par appartement.

4. a) Les réponses peuvent varier. Par exemple, compte le nombre d'étagères et le nombre de livres sur la moitié d'une étagère. **b)** Les réponses peuvent varier. Par exemple, compte le nombre de rangées d'étagères, compte le nombre de sections d'étagères dans une rangée et compte le nombre de livres dans la moitié d'une section d'étagères.

5. Les réponses peuvent varier. Exemples :

En 1. a), on a supposé que les rangées étaient pleines et qu'il n'y avait pas de rangées partielles. Ces suppositions peuvent s'équivaloir.

En 1. b), on a supposé qu'il y avait une personne pour la moitié des voitures et deux personnes pour l'autre moitié, que personne n'était arrivé au centre commercial par un autre moyen et que cette illustration représentait tout le stationnement. Ces hypothèses peuvent entraîner une réponse imprécise.

En 2, on a supposé que les pièces de 25 ¢ devaient rester à plat, se toucher sans se chevaucher. Ces suppositions, si elles sont vraies, conduisent à une réponse assez précise.

En 3. a) on a supposé que tous les étages sont pareils, même ceux cachés par les arbres, et que chaque balcon comprend deux fenêtres. La première hypothèse est raisonnable et ne devrait pas nuire à la précision. La deuxième hypothèse, si elle n'est pas correcte, peut mener à une imprécision.

En 3. b), on a supposé qu'il y avait un balcon par appartement et 2 personnes en moyenne par appartement. La première hypothèse est raisonnable et ne devrait pas nuire à la précision. La deuxième hypothèse, si elle n'est pas correcte, peut mener à des imprécisions.

7.6 **Gros plan sur… les commis de magasin de décoration, p. 136**

1. a) 3 stores de $51\frac{7}{8}$ po sur $39\frac{3}{4}$ po ; 1 store de $79\frac{7}{8}$ po sur $70\frac{1}{2}$ po ; 3 stores de $56\frac{1}{8}$ po sur $42\frac{5}{8}$ po ; 1 store de $52\frac{5}{8}$ po sur $36\frac{3}{16}$ po **b)** Les 3 stores de $51\frac{7}{8}$ po sur $39\frac{3}{4}$ po coûtent 180 $ chacun ; le store de $79\frac{7}{8}$ po sur $70\frac{1}{2}$ po coûte 312 $; les 3 stores de $56\frac{1}{8}$ po sur $42\frac{5}{8}$ po coûtent 180 $ chacun ; le store de $52\frac{5}{8}$ po sur $36\frac{3}{16}$ po coûte 180 $.

c) 1 807,80 $ **d)** 723,12 $; 1 084,68 $

7.7 **Tour d'horizon : Les estimations, p. 137**

1.-2. Les réponses peuvent varier.

7.8 **Résumé, p. 138-139**

1. a) Les centimètres **b)** Les mètres **c)** Les kilomètres **d)** Les centimètres ou les mètres **e)** Les millimètres

2. a) 200 cm **b)** 480 mm **c)** 3 200 m **d)** 39,2 cm **e)** 3,45 km **f)** 0,48 m

3. a) $\frac{3}{4}$ de pouce, 18 mm

b) $\frac{7}{8}$ de pouce, 21 mm

c) $\frac{7}{16}$ de pouce, 17 mm

d) $\frac{15}{16}$ de pouce, 23 mm

e) $1\frac{1}{16}$ de pouce, 26 mm

f) $1\frac{1}{8}$ de pouce, 28 mm

4. Les réponses peuvent varier.

5. a) 4,8 km **b)** 15,6 km

6. a) 16 cm **b)** 3 cm **c)** 50 cm **d)** 8 m

7. a) Les pouces **b)** Les pieds et les pouces **c)** Les pouces **d)** Les pieds **e)** Les milles

8. a) $36\frac{1}{2}$ po **b)** 7 pi **c)** 9 verges

9. Les estimations peuvent varier. Exemples : **a)** 15 pi, 5 m **b)** 6 pi, 2 m **c)** 10 pi, 3 m

10. a) 13 L **b)** 250 mL **c)** 15 L

11. a) 3 000 mL **b)** 1 250 mL **c)** 0,75 mL

12. Les réponses peuvent varier. Par exemple, il pourrait y avoir 10 752 points. Le carré, de taille réelle de 3 cm sur 3 cm, comprend 17 × 17, ou 289 points ; ainsi, un centimètre carré devrait avoir 289 ÷ 9 ou environ 32 points. L'image de 21 cm sur 16 cm devrait comprendre environ 32 × 21 × 16, ou 10 752 points.

13. a) Les deux sont utilisés au Canada. b) Il est basé sur un multiple simple, 10.

Chapitre 8 : La mesure et le dessin en deux dimensions

(8.1) Le théorème de Pythagore, p. 142-143

Analyse

1. b) Les réponses peuvent varier. Par exemple, utiliser une équerre. f) La somme des aires des deux plus petits carrés est égale à l'aire du plus grand carré.

Passe à l'action

2. a) 468   b) 277   c) 808   d) 81,09   e) 677,69
   f) 193,96

3. a) 6,7   b) 8,9   c) 11   d) 14,1   e) 15,8

4. a) 0,1 m   b) 0,0 m   c) 2,8 m

5. 70,7 cm

6. a) 30 pi   b) Non, car la diagonale aurait dû mesurer 30 pi.

7. 60 pi

8. Les réponses peuvent varier. Par exemple, il peut mesurer les diagonales du terrain, qui devraient mesurer environ 12,1 m chacune.

(8.2) Le calcul du périmètre et de l'aire, p. 144-147

Passe à l'action

1. a) III   b) IV   c) II   d) I

2. a) 12,25 m²   b) 8,82 m²   c) 7,1 m²   d) 26 m²

3. a) 14,4 m   b) 17,2 m   c) 11,3 m   d) 28 m

4. 11,9 m²

5. De placer un ruban d'avertissement autour de la bitumeuse-goudronneuse.

6. a) 300 pi²   b) 6

7. a) 108 pi²   b) 10   c) 42 pi   d) 5

8. a) Calcule l'aire totale de la propriété et soustrais l'aire de la maison et l'aire de l'entrée d'auto. b) 1 790 pi²   c) 199

9. a) 2 000 m. La longueur requise est 2 km. b) 69 000 $

(8.3) L'estimation du périmètre et de l'aire, p. 148-149

Analyse

1. Les réponses peuvent varier.

Passe à l'action

2. Les réponses peuvent varier.

3. a) Les réponses peuvent varier. Par exemple, 4 m².
   b) Les réponses peuvent varier. Par exemple, 40 m².
   c) Les réponses peuvent varier. Par exemple, 40 m² + 10 m² ou 50 m² pour que le personnel et la clientèle aient suffisamment d'espace pour circuler.

4. Les réponses peuvent varier.

5. Les réponses peuvent varier.

6. Les réponses peuvent varier.

7. Les réponses peuvent varier.

8. Les réponses peuvent varier. Par exemple, 60 m².

9. Les réponses peuvent varier.

(8.4) Gros plan sur... la pose de revêtement de sol, p. 150

1. a) 2 276 pi²   b) 200   c) 8 346 $

2. a) 72 pi   b) 18   c) Il faut 300 pi² de tapis et il en reste 49 pi².

(8.5) Les agrandissements, p. 151-152

Analyse

1. La photo originale : 35 po² ; l'agrandissement : 140 po². L'aire augmente de quatre fois lorsque les dimensions doublent.

Passe à l'action

2. a) Les dimensions du nouvel écran sont deux fois plus grandes que celles de l'écran original. b) Le vieil écran : 99 po², le nouvel écran : 396 po². c) II

3. a) 8 m sur 20 m   b) 16 fois

4. a) 3 fois plus long et plus large   b) 9 fois   c) La section originale : 56 cm² ; la section agrandie : 504 cm²

5. 6,25 fois

6. 36 fois

7. Donne un exemple. L'écran original : 10 po sur 12 po, l'aire = 120 po² ; 3 × 10 = 30 et 3 × 12 = 36 ; l'écran agrandi : 30 po sur 36 po, l'aire = 1 080 po² ; 1 080 ÷ 120 = 9.

8. Elle doit doubler les deux mesures.

9. a) I) L'aire est la même. **II)** L'aire originale est quatre fois plus grande que l'aire du nouveau cercle. **III)** Le nouveau cercle est quatre fois plus grand que le cercle original. **b)** Cercle original = 0,1256 m² **I)** 0,1256 m² **II)** 0,0314 m² **III)** 0,5024 m²

10. a) L'aire est quatre fois plus grande. **b)** Triangle original : 112,5 cm² ; triangle agrandi : 450 cm².

8.6 Les dessins à l'échelle, p. 153-154

1. e) Les réponses peuvent varier. Par exemple, 18 en 6 rangées de 3 étagères placées bout à bout, parallèles aux étagères du côté.

2. a) 4,5 cm   **b)** 0,5 cm ou 5 mm   **c)** 0,5 cm
   d) 3 cm   **e)** 2 cm   **f)** 8 cm

3. a) Les réponses peuvent varier. Par exemple, 1 cm équivaut à 10 cm. **b)** Les réponses peuvent varier. Par exemple, 1 cm équivaut à 1 m. **c)** Les réponses peuvent varier. **d)** Les réponses peuvent varier. Par exemple, en comparant la taille du papier à la taille de l'objet original.

8.7 Tour d'horizon : La conception d'un terrain de jeu, p. 155

Les réponses peuvent varier.

8.8 Résumé, p. 156-157

1. 10 m

2. 10 pi

3. a) 100 pi² **b)** 9 **c)** 40 pi **d)** 4

4. Périmètre extérieur : 53,4 mm ; périmètre intérieur : 44 mm.

5. a) 33 m² **b)** Le tapis rectangulaire : 8 m² ; le tapis circulaire : 3,1 m². **c)** 21,9 m² **d)** 26 m

6. Les réponses peuvent varier. Par exemple, mesurer au pas des sections rectangulaires, en faisant des pas d'environ 1 m. Calculer l'aire de chacune des sections et les additionner.

7. Neuf fois

8. La nouvelle affiche est deux fois plus longue et deux fois plus large.

10. b) 471,7 cm

Chapitre 9 : La mesure et le dessin en trois dimensions

9.1 Les prismes rectangulaires, p. 160-163

Passe à l'action

1. Les estimations peuvent varier.
   a) 0,756 m³ **b)** 2 016 cm³ **c)** 10 648 po³

2. Les estimations peuvent varier.
   a) 5,1 m² **b)** 1 152 cm² **c)** 2 904 po²

3. a) 1 944 $ **b)** 1 504,32 $ **c)** 399,50 $

4. Les réponses peuvent varier. Par exemple, estimer la longueur, la largeur et la hauteur. Le volume peut intéresser une personne responsable du chauffage et de la climatisation de l'immeuble afin de déterminer le type d'appareils de chauffage et d'air conditionné à installer.

5. a) 1,5 verge cube **b)** 108 $

6. Les réponses peuvent varier.

7. a) 265 po² **b)** 337,5 po² **c)** 72,5 po² ; l'aire du papier d'emballage moins l'aire de la surface du paquet de feuilles. **d)** 27 %

8. Les réponses peuvent varier.

9. a) 4 110 cm³ **b) I)** 1 600,1 cm² **II)** 1 613,8 cm²
   III) 1 846,7 cm² **IV)** 1 998,8 cm² **c) I)** aurait la plus petite aire totale **I)** 600 cm² **II)** 700 cm²

9.2 Les cylindres, p. 164-167

Analyse

1. a) Oui, un cylindre a une forme semblable à celle d'un prisme rectangulaire, excepté que sa base est un cercle. **b)** Un cercle, $A = \pi r^2$ **c)** $V = \pi r^2 h$

2. a) 3 **b)** Un cercle, $A = \pi r^2$
   c) Un rectangle, $A = Ll$ **d)** II
   e) Aire totale = $2(\pi r^2) + \pi dh$ ou $2(\pi r^2) + 2\pi rh$

3. a) Les réponses peuvent varier. **b)** Les réponses peuvent varier. **c)** Les réponses peuvent varier. **d)** Le volume devrait être assez près de la capacité indiquée.

Passe à l'action

4. Les estimations peuvent varier.
   a) 624,2 cm³ **b)** 1 528,6 cm³ **c)** 1 524 cm³

5. Les estimations peuvent varier. **a)** 407,2 cm²
   b) 751,3 cm² **c)** 783,4 cm²

6. a) 0,88 m³ **b)** 7 **c)** 60,86 $

7. Oui

8. 346 mL

9. a) La chandelle à trois mèches **b)** 24 $. Les réponses peuvent varier. Par exemple, le temps requis pour les fabriquer.

10. a) I) Oui, $V = 100,3$ cm^3 **II)** Oui, $V = 100,3$ cm^3
III) Oui, $V = 100,1$ cm^3 **b)** La bouteille avec un rayon de 2,5 cm et une hauteur de 5,1 cm. Elle utilise le moins de verre parce que son aire totale est la plus petite des trois.

11. b) Volume du long tube = 63,2 po^3 ; volume du petit tube = 81,8 po^3. **c)** Le volume est le produit de π et de trois dimensions. Étant donné que le rayon sert deux fois dans la formule, $V = \pi r^2 h$, il a une influence deux fois plus grande que la hauteur sur le résultat final. Ainsi, lorsque le rayon est le côté le plus long d'une feuille de papier comme pour le petit tube large, on obtient le plus grand volume.

12. 16. Le volume d'une botte de foin « ronde » est de 135 648 po^3 et le volume d'une petite botte « carrée » est de 8 512 po^3.

9.3 — Les dessins en trois dimensions, p. 168

Analyse

1. Les réponses peuvent varier.

Passe à l'action

2.-4. Les réponses peuvent varier.

9.4 — Les maquettes, p. 169-170

Analyse

1. a) 5 pi **b)** $7\frac{1}{2}$ pi

2. a) Les réponses peuvent varier. Par exemple, 1:20.
b) Les réponses peuvent varier. Par exemple, 1:36.
c) Les réponses peuvent varier. Par exemple, 1:300.

Passe à l'action

3. 10,67 m

4. a) La largeur de l'édifice du Centre : 1,45 m ; la hauteur de l'édifice du Centre : 0,75 m ; la hauteur de la tour de la Paix : 0,55 m ; la hauteur du sol jusqu'au centre de l'horloge : 0,65 m ; le diamètre de l'horloge : 0,05 m ; la longueur de l'aiguille des minutes : 0,025 m ; la longueur de l'aiguille des heures : 0,015 m ; le drapeau : 0,045 m sur 0,02 m. **b)** Oui, elle est trop grande pour qu'on la transporte.

5. a) II **b)** 0,25 m de long, 0,03 m de large, 0,07 m de haut, des roues de 0,02 m de diamètre. **e)** Volume de la locomotive : 65,625 m^3 ; volume de la maquette : 0,000 525 m^3. Le volume de la locomotive est 125 000 fois plus grand que celui de la maquette. **f)** Aire totale de la locomotive : 135,5 m^2 ; aire totale de la maquette : 0,0542 cm^2. L'aire totale de la locomotive est 2 500 fois plus grande que celle de la maquette.

9.5 — Gros plan sur… les commis de magasin de modèles réduits, p. 171

1. L'échelle est le rapport entre les dimensions réelles d'un objet et celles de son modèle réduit.

2. Le modèle réduit utilise des mesures qui sont 24 fois plus petites que celles de l'objet réel.

3. Pour que le diorama reflète la réalité.

4. a) Les échelles réduisent le modèle à des dimensions qui facilitent sa vente. **b)** Elles ne se convertissent pas facilement en mesures impériales, comme le font les autres échelles. **c)** Les échelles basées sur des multiples de 10, comme le système métrique.

9.6 — Tour d'horizon : L'aménagement d'un sous-sol, p. 172

Les réponses peuvent varier.

9.7 — Résumé, p.173

1. a) La quantité d'espace occupé par un objet.
b) La somme des aires de toutes les faces d'un objet.
c) Le rapport entre les dimensions d'un objet et son modèle.

2. La boîte, 36,5 cm^3

3. La boîte, 697,6 cm^2

5. a) Une réduction **b)** 48 po ou 4 pi **c)** $1\frac{3}{4}$ de po

6. L'espace total : 48 134,7 m^3 ; l'aire occupée : 4 000 m^2 ; le coût des briques : 16 348,80 \$; le coût du verre : 920,85 \$; l'échelle : les réponses peuvent varier, par exemple, 1 :100 ; l'édifice : 0,5 m sur 0,8 m sur 0,12 m ; le diamètre de la serre : 0,07 m ; la hauteur de la serre : 0,035 m.

Chapitre 10 : Les transformations et les motifs

10.1 — Les composantes géométriques des motifs, p. 176-180

Passe à l'action

1. Note : Toute figure qui comporte une symétrie de rotation a au moins deux axes de symétrie et a par conséquent au moins deux réflexions. Lorsqu'il y a une symétrie de rotation, comme pour le cercle rouge avec une barre diagonale (le symbole « interdit »), tu n'as pas à tenir compte de la symétrie axiale.
a) Le symbole d'arrêt noir est formé par une symétrie de rotation autour d'un point en son centre. Ainsi, il montre une rotation par rapport à ce point. Les flèches sont formées par une symétrie de rotation

autour d'un point centré entre les deux. Donc, elles montrent une rotation par rapport à ce point. Le symbole rouge « interdit » est formé par une symétrie de rotation autour d'un point au centre de sa barre diagonale. Ainsi, il montre une rotation par rapport à ce point. Le symbole lui-même est formé par une symétrie de rotation autour d'un point en son centre. Ainsi, il montre une rotation par rapport à ce point.

b) Les voitures ont une symétrie axiale par rapport à une droite verticale qui les sépare. Ainsi, elles montrent une réflexion par rapport à cette droite. Chaque voiture a une symétrie axiale par rapport à une droite verticale qui passe en son centre. Ainsi, chaque voiture montre une réflexion par rapport à cette droite. Le symbole rouge « interdit » est formé par une symétrie de rotation autour d'un point au centre de sa barre diagonale. Ainsi, il montre une rotation par rapport à ce point. Le symbole lui-même a une symétrie de rotation autour d'un point en son centre. Ainsi, il montre une rotation par rapport à ce point.

c) Les « triangles » sont des homothéties par rapport à un point au centre, le « triangle » rouge étant un agrandissement du « triangle » blanc. Le symbole est formé par une symétrie de rotation autour d'un point en son centre. Ainsi, il montre une révolution par rapport à ce point.

d) Les flèches sont formées par une symétrie de rotation autour d'un point centré entre les deux. Ainsi, elles montrent une rotation par rapport à ce point. L'autre symbole est formé par une symétrie axiale par rapport à une droite verticale qui traverse le centre. Ainsi, il montre une réflexion par rapport à cette droite. Le panneau en soi est formé par une symétrie de rotation autour d'un point en son centre. Ainsi, il montre une rotation par rapport à ce point.

e) Le panneau en entier, y compris les symboles, est formé par une symétrie de rotation autour d'un point en son centre. Ainsi, il montre une rotation par rapport à ce point. Chaque flèche a une symétrie axiale par rapport à une droite qui passe en son centre. Ainsi, chaque flèche montre une réflexion par rapport à cette droite. Chaque barre verticale est formée par une symétrie de rotation autour d'un point en son centre. Ainsi, chaque barre montre une rotation par rapport à ce point. Les trois barres verticales montrent une translation.

f) Le panneau en entier, y compris les symboles, est formé par une symétrie de rotation autour d'un point en son centre. Ainsi, il montre une rotation par rapport à ce point.

g) Chaque section du symbole de la route est formée par une symétrie axiale par rapport à une droite qui passe en son centre. Ainsi, chaque section montre une réflexion par rapport à cette droite. Chaque barre verticale dans la route est formée par une symétrie de

rotation autour d'un point en son centre. Ainsi, chaque barre montre une rotation autour de ce point. Les deux ensembles de barres verticales dans chaque section de la route montrent une translation. Les trois vagues montrent une translation. Le panneau en soi est formé par une symétrie de rotation autour d'un point en son centre. Ainsi, il montre une rotation par rapport à ce point.

h) Le panneau en soi et tous les carrés sont formés par une symétrie de rotation autour de points en leur centre. Ainsi, ils montrent des rotations par rapport à ces points. Le panneau, y compris les symboles, a une symétrie axiale par rapport à une droite horizontale qui passe en son centre. Ainsi, il a une réflexion par rapport à cette droite. La flèche est formée par une symétrie axiale par rapport à une droite horizontale qui passe en son centre. Ainsi, elle montre une réflexion par rapport à cet axe.

i) Le panneau, y compris les symboles, est formé par une symétrie axiale par rapport à une droite verticale qui passe en son centre. Ainsi, il montre une réflexion par rapport à cette droite. La flèche est formée par une symétrie axiale par rapport à une droite verticale qui passe au centre. Ainsi, elle montre une réflexion par rapport à cette droite. Les bosses sont formées par une symétrie axiale par rapport à une droite qui passe en son centre. Ainsi, elles montrent une réflexion par rapport à cette droite. Le panneau en soi est formé par une symétrie de rotation autour d'un point en son centre. Ainsi, il montre une rotation par rapport à ce point.

2. a) Le logo est divisé par un axe vertical qui permet une réflexion, par rapport à cette droite, de l'ensemble qui représente un livre ouvert, de la feuille d'érable en son centre, des fleurs dans les coins supérieurs, de la croix, de la tête et de la partie supérieure des deux personnages ainsi que de la banderole où est inscrit la devise.

b) Le logo en entier, à l'exclusion des lettres, est formé par une symétrie axiale par rapport à une droite verticale. Ainsi, il montre une réflexion par rapport à cette droite. Chaque H stylisé ou chaque personnage est formé par une symétrie axiale par rapport à une droite verticale qui passe en son centre. Ainsi, il montre une réflexion par rapport à cette droite. Les deux H stylisés (les deux personnages) sont formés par symétrie axiale par rapport à un axe vertical qui passe entre les deux. Ainsi, ils montrent une réflexion par rapport à cette droite. La croix et son design sont formés par une symétrie axiale par rapport à un axe vertical qui passe au centre de la croix. Ainsi, ils montrent une réflexion par rapport à cet axe.

c) La partie supérieure du logo, composée de la fleur de lys et de la fleur de trille, à l'exception des lettres, est formée par une symétrie axiale par rapport à un axe vertical. Ainsi il montre une réflexion par rapport à cet axe.

d) Le logo en entier, à l'exclusion des lettres, est formé par une symétrie axiale par rapport à un axe vertical. Ainsi, il montre une réflexion par rapport à cet axe. La croix, la personne, le demi-soleil, l'eau et le livre ouvert sont tous formés par une symétrie axiale par rapport à une droite verticale qui passe en leur centre. Ainsi, chaque figure montre une réflexion par rapport à cette droite.

3. a) Deux ou plusieurs figures de même taille, de même forme et de même orientation. **b)** Deux figures de même taille et de même forme, mais d'orientation opposée, ou une figure comportant un axe de symétrie. **c)** Deux ou plusieurs figures de taille et de forme identiques, mais d'orientation différente ou opposée, ou une figure comportant une symétrie de rotation. **d)** Deux ou plusieurs figures de même forme et de même orientation, mais de taille différente.

4. a) Chaque section de la bordure, c'est-à-dire une portion avec les barres blanches horizontales et les barres blanches brisées et un losange au centre, apparaît par translation sur la section suivante. La bordure en entier est formée par une symétrie axiale par rapport à une droite qui passe en son centre. Ainsi, elle montre une réflexion par rapport à cette droite. Les losanges rouges, les losanges blancs, les cercles rouges, les ovales bleus et les ovales blancs sont tous, y compris ce qui se trouve au centre, formés par une symétrie de rotation autour d'un point en leur centre. Ainsi, chaque figure montre une rotation par rapport à ce point. Les losanges rouges et blancs montrent une homothétie à partir d'un point en leur centre, le losange rouge étant une réduction du losange blanc. **b)** Les réponses peuvent varier.

5. a) Les réponses peuvent varier.
b) Les réponses peuvent varier.

6. Les réponses peuvent varier.

(10.2) L'exploration de motifs à l'aide de la technologie, p. 181-184

Analyse

4. La lettre se déplace de 2 unités vers la droite et de 3 unités vers le haut.

5. a) La lettre se déplace de 3 unités vers le haut.
b) La lettre se déplace de 3 unités vers la droite.
c) La lettre se déplace de 3 unités vers le bas.
d) La lettre se déplace de 3 unités vers la gauche.
e) La lettre se déplace de 3 unités vers la droite et de 3 unités vers le haut. **f)** La lettre se déplace de 3 unités vers la gauche et de 3 unités vers le bas. **g)** La lettre se déplace de 3 unités vers la gauche et de 3 unités vers le haut. **h)** La lettre se déplace de 3 unités vers la droite et de 3 unités vers le bas.

6. c) L'image a la même taille et la même forme que la lettre originale, mais son orientation est opposée. La lettre subit une réflexion par rapport à l'axe de réflexion.

7. Dans les deux cas, les images ont la même taille et la même forme que les lettres originales, mais une orientation opposée. Lorsque l'axe traverse la lettre originale, l'image et la lettre originale se chevauchent. Lorsque l'axe est à l'extérieur de la lettre originale, il n'y a pas de chevauchement.

8. a) III **b)** IV **c)** I **d)** V **e)** II

9. c) L'image a la même taille et la même forme que la lettre originale, mais une orientation différente. **d)** Chaque image est tournée à 45° par rapport à la lettre originale. Après toutes les rotations, on obtient une figure formée par symétrie de rotation.

10. b) Dans les deux cas, l'image a la même taille et la même forme que les lettres originales, mais une orientation différente. Lorsque le point est sur la lettre originale, l'image et la lettre originale se chevauchent, mais lorsque le point est à l'extérieur, il n'y a pas de chevauchement. Après toutes les rotations, on obtient deux figures formées par une symétrie de rotation.

11. c) L'image a la même orientation que la lettre originale, mais elle est trois fois plus haute et trois fois plus large.

12. c) L'image a la même orientation que la lettre originale, mais elle est deux fois plus petite et deux fois moins large. Les deux homothéties gardent la même proportion et la même orientation que la lettre originale ; cependant, la première est un agrandissement et la deuxième est une réduction.

Passe à l'action

13. a) Une translation, soit $(-4, 5)$ ou $(4, -5)$, selon le triangle qu'on désigne comme original. **b)** Une homothétie, soit deux fois ou 0,5 fois le triangle original, selon le triangle qu'on désigne comme original. **c)** Une rotation, soit de 45° ou de $-45°$, selon le triangle qu'on désigne comme original. **d)** Une réflexion par rapport à l'axe horizontal.

(10.3) La conception d'un logo, p. 185

Analyse

1. Les réponses peuvent varier.

Passe à l'action

2. Les réponses peuvent varier.

10.4 Gros plan sur… les peintres d'enseignes, p. 186

1. La précision et la justesse dans les gestes, le souci du détail et une capacité de travailler avec différents matériaux.

2. Les réponses peuvent varier. Par exemple, chaque personne a des responsabilités différentes, mais toutes font partie du même projet et le travail d'équipe peut mener à de meilleurs résultats.

3. a) Le recyclage : la rotation des flèches pliées suggère une continuité ou une réutilisation. **b)** Un passage à niveau : la rotation produit un X ou une croix. **c)** La zone de rayonnements : la rotation produit l'effet d'un ventilateur qui tourne.

4. Les réponses peuvent varier.

10.5 Les dallages, p. 187

Analyse

1. a) Oui **b)** Oui **c)** Oui

2. a) Oui **b)** Oui **c)** Oui **d)** Oui **e)** Oui **f)** Oui

3. Elles doivent bien s'imbriquer les unes dans les autres.

Passe à l'action

4. a) Oui **b)** Oui **c)** Oui

5. On pourrait utiliser a et b.

6. La somme des mesures des angles à la rencontre des sommets doit être égale à 360°.

10.6 Les motifs formant des mosaïques, p. 189

1.-4. Les réponses peuvent varier.

10.7 Tour d'horizon : La création de motifs à l'aide de la géométrie, p. 190

Les réponses peuvent varier.

10.8 Résumé, p. 191

1. a) Le carreau en entier et son motif ont une symétrie de rotation autour d'un point placé au centre. Ainsi, ils montrent une rotation par rapport à ce point. Chacune des « fleurs » est formée par une symétrie axiale par rapport à une droite qui passe au centre sur la longueur. Ainsi, chacune des « fleurs » a une réflexion par rapport à cette droite. **b)** Le motif est formé par une symétrie de rotation autour d'un point placé en son centre. Ainsi, il montre une rotation par rapport à ce point. Chaque barre est formée par une symétrie de rotation autour d'un point en son centre. Ainsi, chaque barre montre une rotation par rapport à ce point. Chaque ensemble de barres est formé par une symétrie de rotation autour d'un point en son centre. Ainsi, chaque ensemble de barres montre une rotation par rapport à ce point. L'ensemble de trois barres en haut à gauche montre des translations. Dans les autres ensembles de barres, seules les petites barres montrent des translations. Les deux longues barres en bas à gauche montrent également une translation. **c)** Le plan d'étage est formé par une symétrie axiale et par une symétrie de rotation. Les octogones et les petits carrés sont formés par translation, par réflexion et par rotation. **d)** Le logo est formé par une symétrie axiale par rapport à une droite verticale qui passe en son centre. Ainsi, il montre une réflexion par rapport à cette droite.

4. a) Les réponses peuvent varier. Par exemple, un carré, un triangle équilatéral et un octogone régulier. **b)** La somme des mesures des sommets qui se rencontrent doit être égale à 360° exactement.

Index

Sources des photos et des illustrations ••••••••••••••••••••••••••••

Chapitre 1

(page 2) Jonathan Hayward/CP Photo Archive

(page 4, en bas) www.emploiavenir.ca : Perspectives nationales jusqu'en 2004, Où ils travaillent, la catégorie d'emploi, la distribution selon l'âge, les perspectives de carrière, les revenus, Histoire d'Emploi, Développement des ressources humaines Canada. Reproduit avec la permission des Travaux publics et Services gouvernementaux Canada, 2002.

(page 5, en haut) www.emploiavenir.ca : Perspectives nationales jusqu'en 2004, Où ils travaillent, la catégorie d'emploi, la distribution selon l'âge, les perspectives de carrière, les revenus, Histoire d'Emploi, Développement des ressources humaines Canada. Reproduit avec la permission des Travaux publics et Services gouvernementaux Canada, 2002.

(page 6) Reproduit avec permission — *The Toronto Star* Syndicate.

(page 13) Neal Preston/CORBIS

(page 16) Ken Fisher/Getty Images

Chapitre 2

(page 35, en bas) John Ulan/CP Photo Archive

Chapitre 3

(page 53, en bas) Frank Gunn/CP Photo Archive

(page 58) DILBERT © UFS. Reproduit avec autorisation.

Chapitre 7

(page 134, en bas) Harvey Schwartz/MaXx Images, Inc.

(page 135, en haut) Stephan Poulin/Superstock Images

Chapitre 8

(page 143) Helen Norman/CORBIS

Chapitre 9

(page 169) Steve White/CP Photo Archive

(page 170) Tom Kitchen/firstlight.ca

Chapitre 10

(page 176)
Logo de la Croix-Rouge canadienne reproduit avec la permission de la Société de la Croix-Rouge

Logo du Conseil scolaire de district du Centre-Sud-Ouest reproduit avec la permission du Conseil scolaire de district du Centre-Sud-Ouest

City of London logo reproduit avec la permission de The Corporation of the City of London

City of Niagara Falls logo reproduit avec la permission de City of Niagara Falls

Logo Olympique© CIO/Comité International Olympique

(page 179)
Logo du Conseil scolaire du district du Grand Nord de l'Ontario reproduit avec la permission du Conseil scolaire du district du Grand Nord de l'Ontario

Logo du Conseil scolaire public du Nord-Est de l'Ontario reproduit avec la permission du Conseil scolaire public du Nord-Est de l'Ontario

(page 180)
Logo du Conseil scolaire de district catholique de l'Est ontarien reproduit avec la permission du Conseil scolaire de district catholique de l'Est ontarien

Halton Catholic District School Board logo reproduit avec la permission du Halton Catholic District School Board

Logo de l'École secondaire Cité-Supérieure reproduit avec la permission de l'École secondaire Cité-Supérieure

Algonquin & Lakeshore Catholic District School Board logo reproduit avec la permission du Algonquin & Lakeshore Catholic District School Board

Il est interdit de reproduire ces logos sans l'autorisation des institutions concernées.

Marques déposées

Excel® de Microsoft

Quattro Pro® de Corel

SIA®